エネルギー自由化
第二ステージ
賢者のトランスフォーメーション戦略

エネルギービジネスコンサルタント
平松 昌
MASARU HIRAMATSU

はじめに

電力・ガス自由化の節目の年であった2020年、エネルギー業界は第二ステージに移行した。

エネルギー事業への新規参入組は、予想以上に増加しており、電力における小売ライセンス事業者に至っては、累計で700社を超え、益々増加している状況にある。

さらに経済産業省（METI）における新規参入者へのライセンス審査が厳しくなっており、事業参入に時間を要しスタートに手間取っている事業者、あるいは事業から撤退する事業者、M&Aで身売りする事業者等さまざまである。また、多くの事業者が、競争が激化している高圧以上の分野から、低圧にターゲットをシフトする傾向にある。

第二ステージ以降、エネルギー業界は競争が益々激化することが想定され、まさに2020年を節目に事業の方向性を見直し、再度戦略を立て直す時期にきている。

前著の『エネルギー自由化 勝者のIT戦略』でも解説したように、エネルギー事業は、差別化戦略をいかにして実行に移すかが、勝ち組になれるかどうかのディビジョンポイントとなる。

イギリスの生物・地質学者であるチャールズ・ダーウィンは、「生き残る種とは、最も強いものではない。最も知的なものでもない。それは、変化に最もよく適応したものである」という名言を残したとされているが、まさにエネルギーサービス事業者には、これから変化することが求められている。

顧客サービス向上や収益確保等の観点から、業務やシステム改善は必須であり、今後の日本のエネルギー政策等を加味すると、再生可能エネルギーやデマンドレスポンス（DR）、バーチャルパワープラント（VPP）等の新たなサービスへの取り組みが、益々重要な要素となってくる。

また、サービスの差別化のみならず、需給マネジメント等が、重要な戦術の柱となると同時に、自社で仕組みを構築し、ノウハウを蓄積することも生き残るために必要となっている。

2016年から始まった電力の完全自由化から約5年、需給マネジメントを支える外部サービスも大きく変わってきている上に、ITサービスの進化とも相まって、小売事業者も、自社でデマンドマネジメント体制を実現することが容易になっている。

本書は、激変するエネルギー業界でサービスを差別化し、生き残るためにどのような戦略を立て、業務及びシステムを自社でどのように組み立てるか、そして最先端のテクノロジーによりその効率・スピードをどのように確保していくかということについて、将来的に起こり得るであろう事象とともに、さまざまな角度から解説していく。

　現在、すでに業界に参入し、サービスを展開している事業者、または新規参入を予定されている事業者、バランシンググループから離脱し、独自路線を検討している事業者、事業改善をされようとしている方々に、本書が少しでも参考になれば幸いである。

エネルギー自由化第二ステージ　**賢者のトランスフォーメーション戦略**　目次

第3章　エネルギー業界で生き残るためのサービス戦略

第4章　地域電力における今後の生き残り戦略

第1章
エネルギー自由化第二ステージにおける事業者を取り巻く環境

本章では、第二ステージに入ったエネルギー自由化の現状を概観し、その小売事業の現状について解説する。

第二ステージに入った電力・ガス自由化の進展

２０１６年4月の電力の全面自由化から約5年、業界はいよいよ生き残りをかけた第二ステージに突入しようとしている。

小売電気事業者の登録数は増加を続けており、２０２０年7月時点で６６２事業者となっているが、まだまだ増加の勢いは止まっていない。

２０１８年頃から旧一般電気事業者が、特別高圧や高圧の大口の取り戻し営業を強化しているだけでなく、子会社を通じて他エリアへ攻勢をかけていることもあり、新電力にとっては厳しい環境になってきている。

２０１９年後半から市場調達コストが低減したことによる、入札案件を含めた新電力陣営の押し戻しも少し見られるが、市場のスパーク等の影響を受けやすい市場調達頼みの新電力が多いのも事実であり、大きなトレンドは変わらないと想定される。

また、旧一般電気事業者は地域電力の立ち上げ等への参画にも以前より積極的に取り組んでおり、地域の特定エリアでも存在感を増している。

さらに、需要家の低圧電灯における規制料金エリアから自由料金エリアへの切り替えも

図1　小売電気事業者の登録数の推移

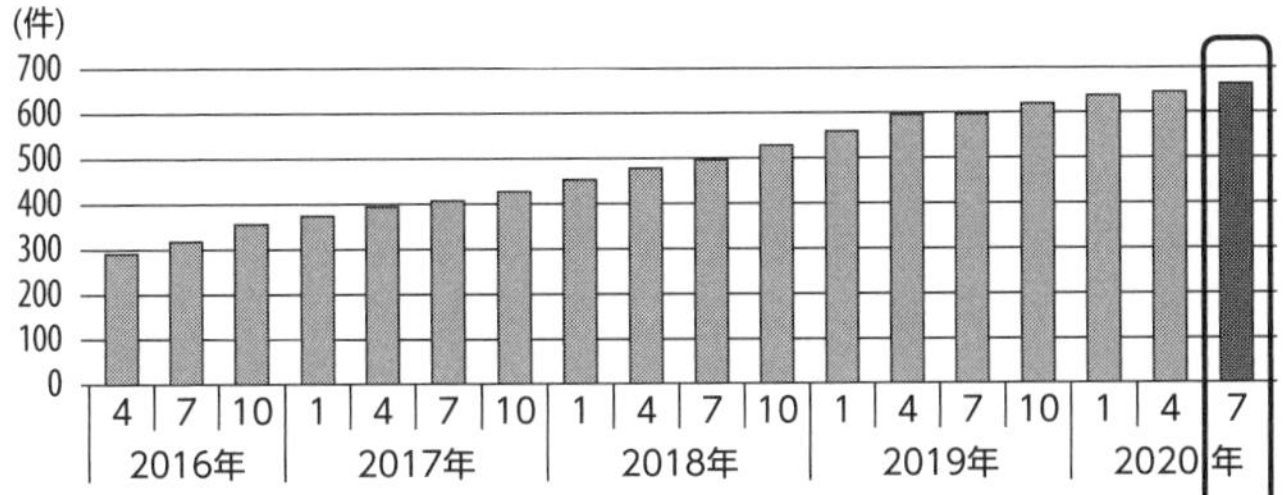

	4月	7月	10月	1月	4月	7月	10月	1月	4月	7月	10月	1月	4月	7月	10月	1月	4月	7月
登録件数	291	318	356	374	394	407	427	453	478	496	528	559	595	596	619	637	644	662
事業承継件数	0	3	3	3	6	6	8	10	18	22	24	28	32	55	59	61	67	72
事業廃止解散件数	2	4	4	4	7	8	8	9	9	10	11	12	12	15	16	16	20	25

※上記件数は、7月1日までに登録や届出等があった件数。

出典：電力システム改革の進捗と委員会の取組について 2020年8月4日 電力・ガス取引監視等委員会

相当進展しており、2020+年6月時点の実績で、北海道、東北、東京、沖縄エリアを除き、50%以上になっている。北海道、東北、東京エリアでも3割以上が自由料金エリアへの切り替えを行っている現状である。

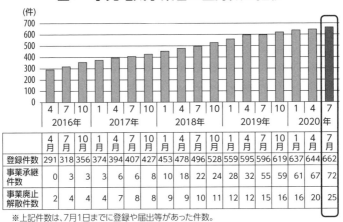

　自由化当初より高圧の分野でシェアを伸ばしてきた大手新電力も、旧一般電気事業者の反攻や競争激化により、特別高圧、高圧大口の分野から後退を余儀なくされている。そのため低圧分野の強化や**バランシンググループ**※1-1（以下、BG）の拡大推進、一部エリアでの取次方式への戦略変更等を実施している状況にある。

　定額サービスやダイナミックプライシング等、新サービスメニューを武器に新規参

図2　旧一般電気事業者による他エリアへの参入状況
（2020年3月時点　販売電力量[kWh]の割合）

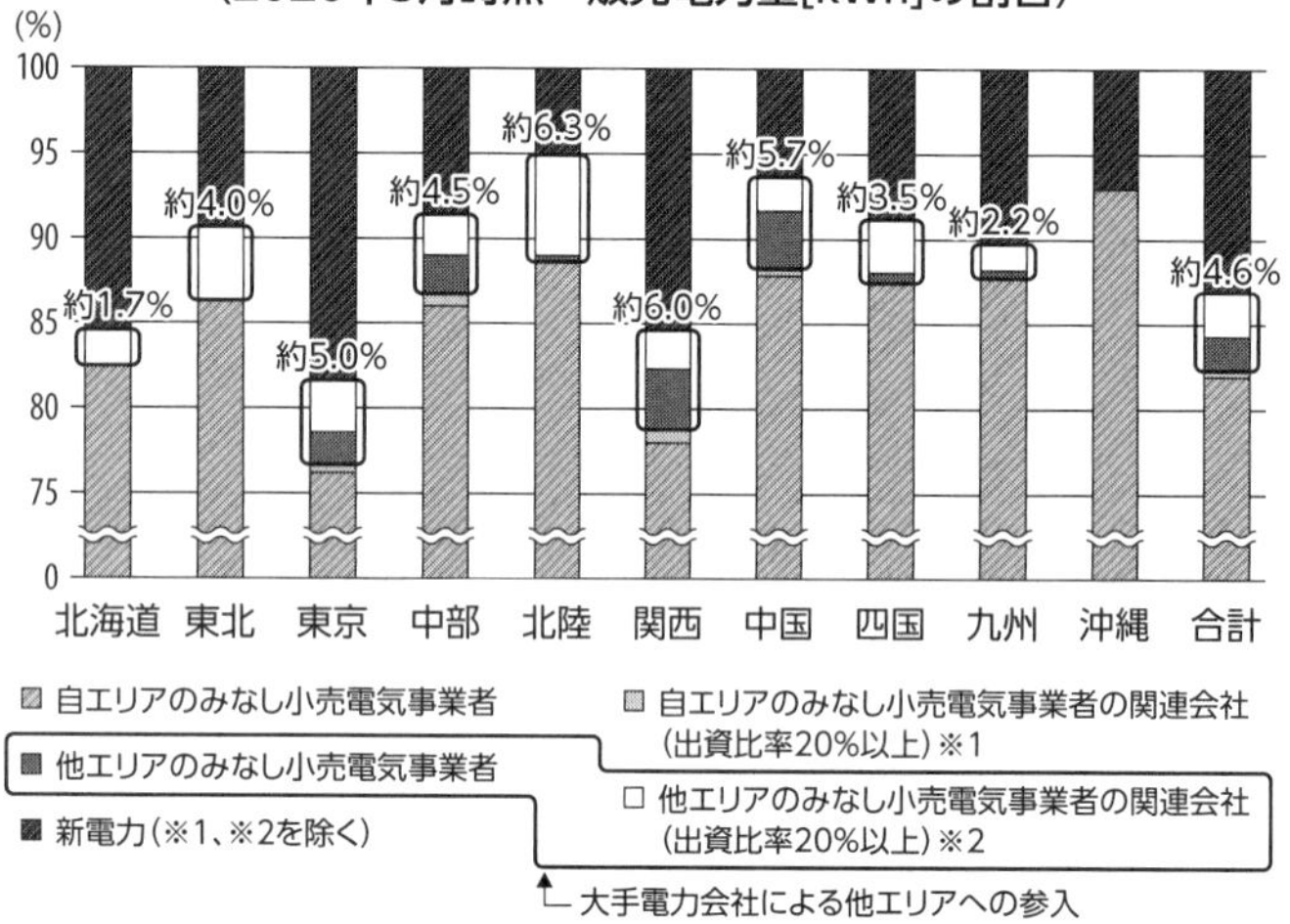

出典：電力システム改革の進捗と委員会の取組について 2020年8月4日 電力・ガス取引監視等委員会

入する事業者や、今後の需給調整市場等での活躍が期待できる、**アグリゲーター**[※1−3]事業者も準備を本格化させている。一方で、事業撤退の動きが徐々に始まっており、M&A案件も２０１９年初頭より増え始めている。

新電力のシェアの推移は、図３（P12）の通りであるが、特別高圧が徐々に減少し、高圧は案件の小口化が進んでいく中で、低圧電灯・電力の増加が大きくなっている。

２０１７年6月から２０２０年6月までの推移を示しているが、販売量で見ると特別高圧は、２０１８年から減少傾向にあり、これは販売額、契約件数を見ても同じである（2019年にかけて、市場価格安定の動きに合わせて、新電力が少し巻き返しているが、長続きはしないと想定される）。

高圧は、大きなトレンドとしては、契約件数は伸びているものの、販売量・販売額とも

※1－1　バランシンググループ（BG）

「需要バランシンググループ」と「発電バランシンググループ」に分かれる。バランシンググループ（代表契約者制度）とは、複数の新電力と送配電事業者が、一つの託送供給契約を結び、新電力間で代表契約者を選定する仕組みのこと。グループを形成する新電力全体で同時同量を達成することとなり、グループ規模が大きくなるほど、理論上は**インバランス**[※1－2]が生じるリスクが低減する（実際は、契約上インバランスリスクを取らないバランシンググループもあるため、一概には言えない）。発電バランシンググループとは、一つまたは複数の発電所が一つの発電量調整供給契約を結び、発電バランシンググループ間で発電契約者を選定する仕組みのこと。

※1－2　インバランス

新制度においてライセンスを取得した小売事業者の義務として設計されている電力の計画値同時同量を遂行するために実施する需給管理において、計画通りできなかった場合、送配電事業者に支払うペナルティである。このコストは、新制度では卸電力市場の価格と連動する費用となる。需給管理を真面目に行わない事業者やこの制度を逆手に利益を上げている事業者もあり、インバランスの制度は見直しが開始されており、今後の需給調整市場との関連でも、よりペナルティコストは厳しい方向になっていく。

※1－3　アグリゲーター

需要家側エネルギーリソースや分散型エネルギーリソースを統合制御し、VPP（※1－10参照）やDR（※1－7参照）からエネルギーサービスを提供する事業者のことである。需給調整市場においての活躍が期待される。

図3　電力自由化の進展（新電力のシェア推移）

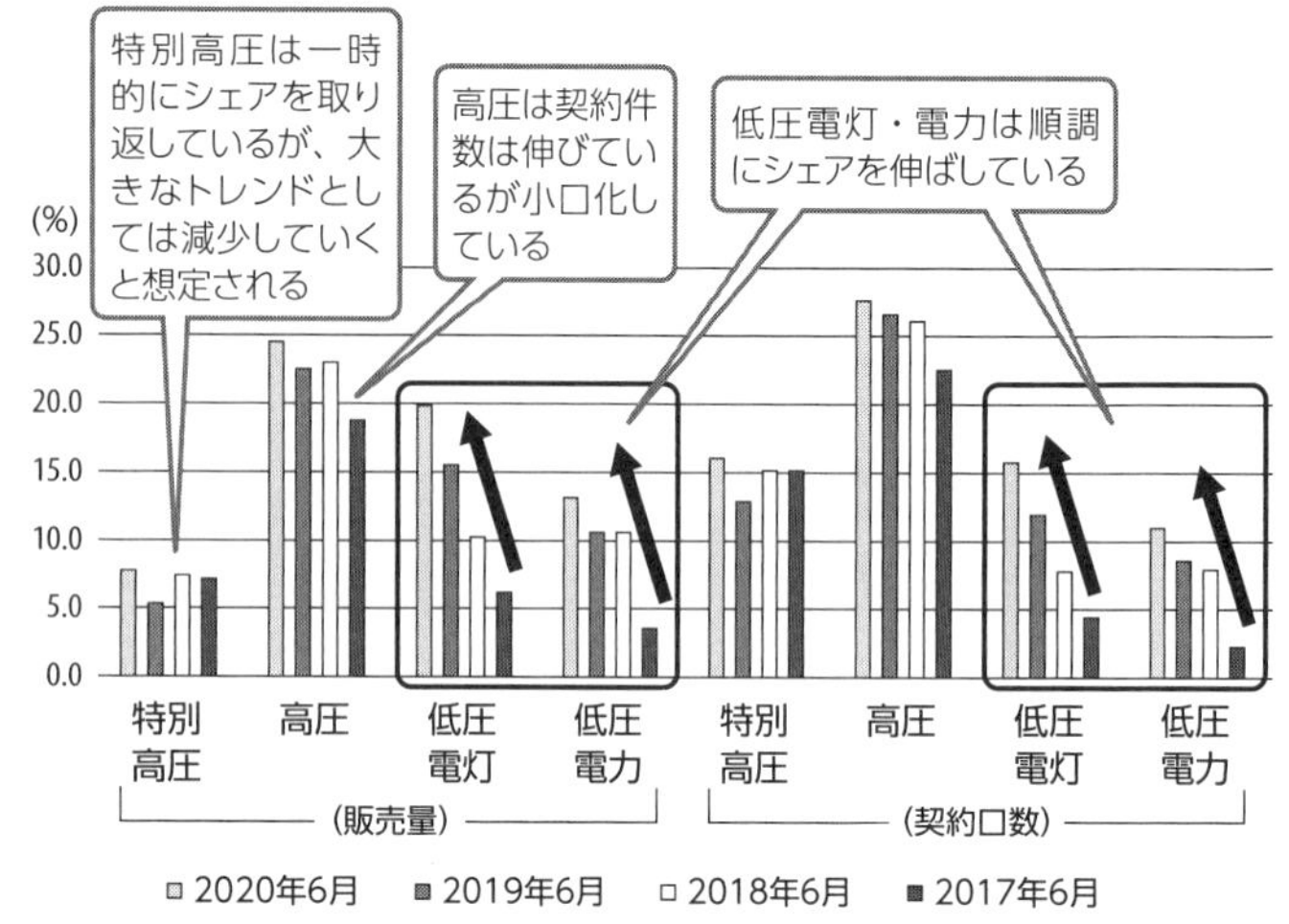

出典：電力取引の状況（電力取引報結果）より集計 電力・ガス取引監視等委員会

に、２０１８年から継続的に減少に転じている。明らかに、新電力の多くの案件では、高圧でも小口化していることがうかがえる。

低圧電力は、販売量・販売額・契約件数ともに増加しており、新電力が確実にシェアを伸ばしている。また、高圧から低圧にシフト（特に法人低圧）していることが、影響していると想定される。

電灯も、低圧電力と同様、新電力が顕著にシェアを伸ばしており、大手ガス事業者や通信・インターネット大手の飛躍が推察できる。

２０１６年４月からの累積スイッチング件数は、２０２０年６月時点で１

614・0万件であり、その内訳は、一般送配電事業者の供給区域のみなし小売電気事業者から新電力等への変更件数が1395・3万件、新電力等から一般送配電事業者の供給区域のみなし小売電気事業者への変更件数が63・4万件、新電力の中での変更件数が155・3万件となっており、新電力間の競争も激しくなってきている状況である。

また、みなし小売電気事業者の規制料金メニューから自由料金メニューへの変更は、累計で769・6万件であり、電力の自由化は首都圏を中心に相当な進展を見せている。

続いて、スイッチングの状況（低圧）は、次の通りである。

・月間スイッチング件数（2020年6月時点）：31・7万件

《内訳》

・一般送配電事業者の供給区域のみなし小売電気事業者から新電力等への変更件数：22・5万件

・新電力等から一般送配電事業者の供給区域のみなし小売電気事業者への変更件数：1・8万件

・新電力等間の変更件数：7・4万件

・みなし小売電気事業者の規制料金メニューから自由料金メニューへの変更：6・2万件

自由化の進展に伴い、月間のスイッチング件数は微減しているが、スイッチング件数はまだまだ堅調に推移している。

新電力業界は、第二ステージでの戦いを本格化すべく、新サービス等の戦略を打ち出す時期にきており、M&Aを含めた今後の水平統合・垂直統合により、本格的なグルーピングが開始されると想定される。ただし、必ずしも大手のみが勝ち組になるとは限らず、サービスの差別化ができた新電力や地域電力を含め、中小規模の新電力が新たなグループを形成する等さまざまな生き残り戦略があると考えられる。

ガスの自由化については、卸供給市場がない点や、保安業務の障壁がある上に、電力で言うところのBG的な事業者が少なく、参入しても利益が少ないことから、依然として大きく進展しているとは言い難いが、首都圏を中心に徐々にスイッチングが進んでいる状況である。なお、2020年5月時点の状況は次の通りである。

・事業者数（みなし小売を含む）：259事業者（家庭用は221事業者）
・新規参入：67社（小売事業者として参入している数は、電力と比較して少ない）

・累計スイッチング件数：400・3万件（うち、家庭用：381・0万件、シェアとしては27・5％）
・家庭用の内訳として、みなし小売における自由料金への変更：10・1％
・他小売事業者へのスイッチング：16・7％
・新規小売事業者のガス販売量のシェア：関東10・5％、中部・北陸13・0％、近畿16・7％、九州・沖縄7・4％、全国11・3％

今後も首都圏が主戦場となることは間違いない。小売・取次にかかわらずガス事業をサポートする事業グループが新たに立ち上がり、ようやくサービスを開始する状況にある。参入する事業者が増えれば需要家の選択肢が増えるという点において、今後の進展が期待される。

小売事業者の動向とバランシンググループの現状

電力完全自由化から約5年、業界の環境変化により、小売事業者は事業を進める上で、さまざまなサービス形態を選択できるようになっている。

バランシンググループに関しては、BG事業に新規で取り組みを始めた新電力が増えた。同時に、サービス面や委託コスト面での競争もより激しくなっており、BGの変更を検討する小売事業者や、新規参入の小売事業者の争奪合戦が繰り広げられている。

一方、市場が安定しつつあることを背景に、相対の電源調達や**需給管理業務**※1-4のハードルが下がってきていることから、当初より単独BGで事業を開始する事業者も多くなっている。

バランシンググループは、大きくは自由化当初よりBGサービスをしている事業者と、新規でBGサービスを開始した事業者に分かれる。

当初よりBGサービスを提供している事業者は、自らも電力販売に大きく力を入れてきた事業者と、BGサービスを提供するために小売事業者になっている、いわゆるBGサービス専業事業者のグループに大別される。

また、BGサービスも、本来のバランシンググループの方式と、電源調達代行と需給管

※1-4　需給管理業務
小売事業を行う上で重要な業務。需要の予測と計画及び実需要のバランスを取るための業務であり、ライセンス事業者の義務となっている。自社で業務を行うケースと、バランシンググループへの加入や外部委託をするケースがあり、電力市場への参加の可否を含め事業参入する上で、検討する必要がある。

図4　バランシンググループと小売電気事業者の相関図

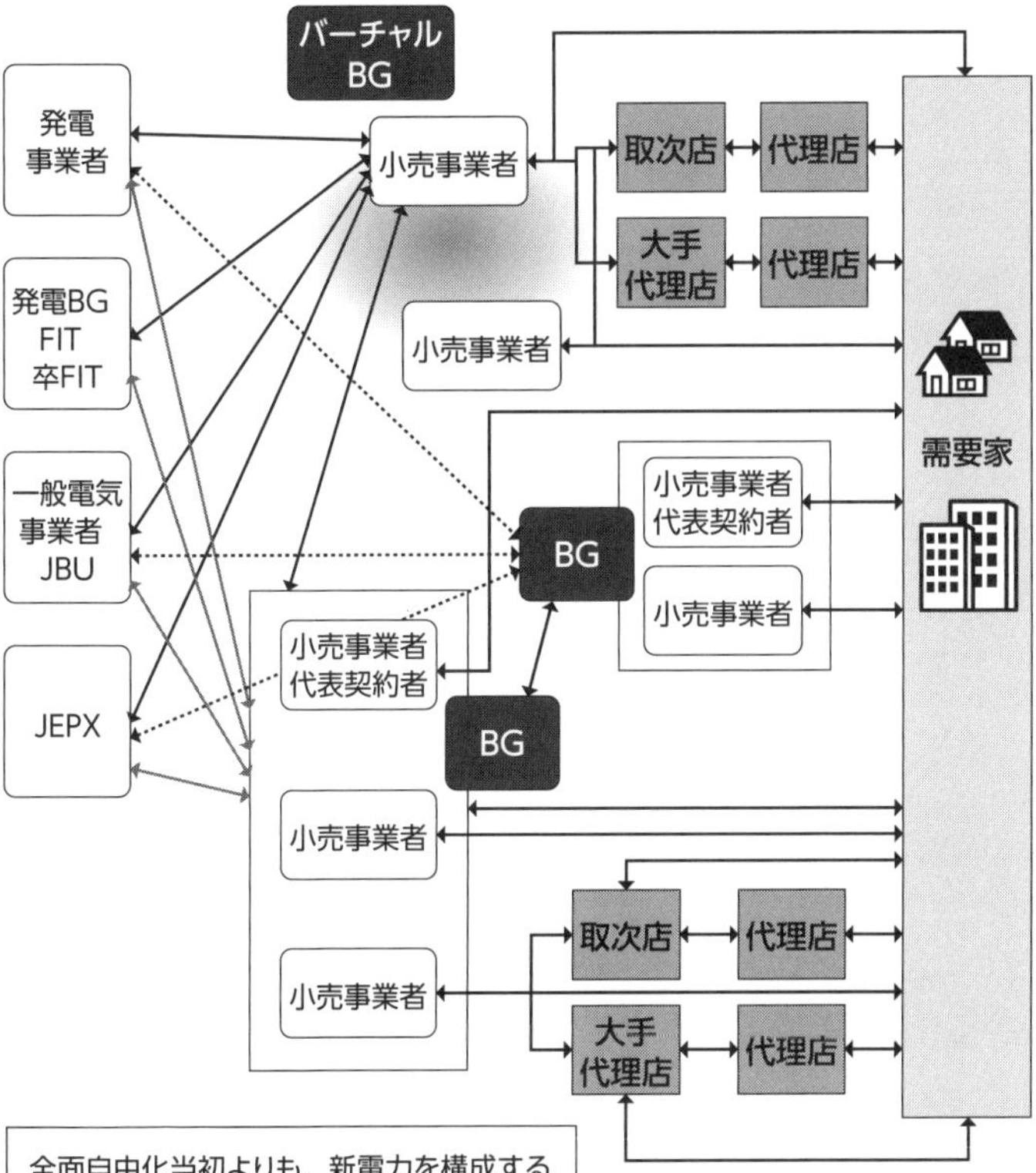

全面自由化当初よりも、新電力を構成するサービスや協業モデルも多様化しており、新規参入組にとっては選択肢が増えている

理業務代行のみを行い、実態は、ＢＧではなくバーチャルな形態でグルーピングを実現している方式と、連帯責任制ではなく単独ＢＧと同じ形になっている方式に細分化される。

さらに、顧客管理システム（以下、ＣＩＳ）をＢＧ標準として提供している事業者と、当該システムの導入を各小売電気事業者に委ねている事業者とで、サービス提供の方式も分かれている。

２０２０年10月にＳＢパワーが、エプコ社からのＥＮＥＳＡＰ（ＣＩＳ事業）事業譲渡を決めたように、ＢＧ展開の小売事業者がＣＩＳ事業を買収する動きもある。ＢＧのサービス強化・自営化の動きが今後強まると同時に、益々ＢＧ間の競争激化が予想される。

電源調達面においては、ＢＧ傘下の小売事業者がインバランスリスクや連帯責任を負わない形で運営している大手新電力等があり、相対取引の卸価格はインバランス込みのキャップ付き費用となっているため、小売事業者は事業計画が立てやすくなっている。

もちろん、大手電力のＢＧでも、市場調達をベースに卸供給しているメニューを併せて提供している。夏場等、多少の市場スパークはあったものの、昨今の落ち着いた低空飛行の市場相場の状況下、参加事業者も電源調達方式を選択できるサービスとなっている。

ちなみに、新電力の電力調達におけるＪＥＰＸ（市場）からの調達量は、２０２０年３月時点で、84・５％にまで達している。

図5　新電力の電力調達状況（2012年11月〜2020年3月）

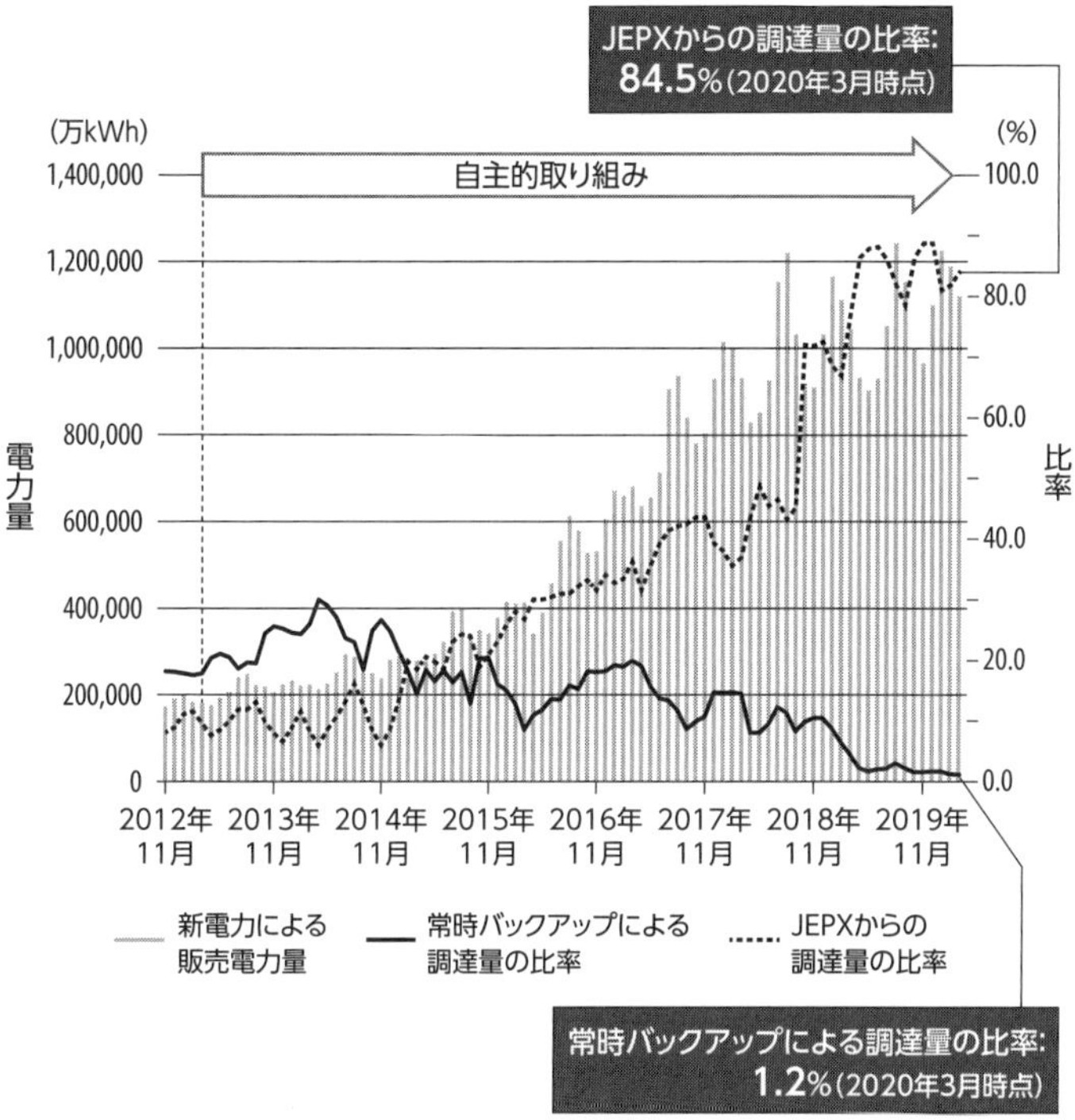

出典：電力システム改革の進捗と委員会の取組について 2020年8月4日 電力・ガス取引監視等委員会

電源のポジションについては、発電所を保有するBGや、市場調達や**常時バックアップ**[※1-5]ベースのみで構成しているBG等さまざまである。BGに入る事業者としても、安定的な卸供給とそのコストは事業の収支に影響するため、重要な選択の判断をすることになる。多くのBGでは、後述の費用がかかるケースが多いが、そのコストについては、BGサービスを展開している各社で差別化を図るため、サービス面を含め競争となっている。もちろん、本費用は、最終的に相対取引で決まるものであり、BGに加わる事業者の会社規模・ブランドや獲得フォーキャスト（見込み）の期待度により、条件面で変わってくる。

また、契約期間は、1年から3年という事業者が多いように思われるが、この条件も個別交渉となる。

●BG参加の費用について

◎電源調達費用

◇市場連動のケース：市場価格＋市場取引手数料

本費用は、BGの親会社のリスクを完全に回避するために、2カ月分程度前払いという方式や即払いの方式、または月2回の精算方式等、さまざまな形態がある。

実際には、前払い方式の場合は、単独で市場参加する場合でも預託金を積んでおく必要があるため、そのケースとほぼ変わらない。

ただし、支払い方式は、BGにより差があるので、BGを比較検討する際に確認が必要となる。

◇相対価格のケース

エリアごとに一定の単価で卸供給する方式であり、燃料費調整額を含む場合と含まない場合、あるいはエリアごとの損失率をあらかじめ加味している場合がある。

また、大手では、インバランスリスクをなくし、この費用に含んでいるケースもある。

さらに、電源については、参加する事業者が相対で獲得した電源を持ち込めるケースと持ち込めないケースがあり、この部分も相対の交渉内容で決まってくる。

※1－5　**常時バックアップ**
新電力が需要家に対して電力を供給する（小売りする）際、需要電力に供給量が足りないとき、旧一般電気事業者から一定量の電力を継続的に融通（卸売り）してもらう形態をいう。制度ではなく、相対取引の一種。

◎需給管理業務費用

◇基本料金

全国で一定費用のケースや、エリアが増加するごとに費用が増額になるケースがあるが、本費用を請求しない方式もある。

◇従量料金

契約電力kW単位で課金するケースが比較的多いが、本費用がなく基本料金のみを請求するケースもある。

なお、従量課金については、kWh単位で課金する方式や、一契約単位で課金する方式等がある。

◇無償のケース

電源調達にサービスの重点を置いており、需給管理費用は無償としているサービス事業者も出始めている。

◎その他需給管理付随費用

官庁報告等のレポートを代行するサービスであり、個別に有償化しているケースがある。

需給管理業務委託費用に含んでいるケースもあるが、サービスを細分化し、参加事業者が必要なサービスを選択することで、少しでも委託費用を安価にできる努力をしているBG事業者もある。

◎顧客管理システム費用

◇システム利用料

本費用を月額で請求しているが、基本的には、契約数での従量課金となっており、一定の需要家契約数までは定額になっているケースもある。

◇請求業務委託費用

請求業務を委託できるケースで発生する費用であり、これも従量課金になっていることが多い。なお、顧客管理関連の費用は、そもそもBGとしてサービスを提供していないケースも多く、単に提携ベンダーのシステムを紹介するだけの場合もあり、本サービスの提供方針は分かれるところである。先述のSBパワーのようなケースは、今後CIS提供サービスを自営化することで差別化を推進していく動きであると考えられる。

現在、ＢＧに入っている事業者は、今後の業界の変化を睨《にら》みつつ、自社の戦略をベースにして、このままのＢＧでよいのか、ＢＧを変更するのか、または、自社で自営するのか、あるいは、グループを独自で形成するのか等の重要な選択をする時期にきている。

自由化当初と異なり、現時点では、自社の戦略に合う選択肢が豊富に存在する状況にある。「変化できる事業者」として、先手を打つことが生き残る道を開くことになる。

制度設計の今後の動向概要

電力システム改革は、①電力の安定供給を確保する、②電気料金を最大限抑制する、③需要家の選択肢や事業者の事業機会を拡大する、という目的の下、２０２０年の発送電分離のゴールに向けて進んできており、実際に各エリアにおいて、２０２０年４月で発送電分離が完了している。

ただし、沖縄電力は、発送電一体を保つことになっている。兼業規制の例外として認可されたのは、本土と連携のない小規模な電力系統であり、弾力的な電源運用の必要性が特に高い点、及び、災害対応では送配電部門、小売・発電部門が一体となって活動する必要性が特に高いという実態を踏まえたものである。

この発送電分離を受けて、一般送配電事業者は、有識者を入れて法的分離をベースに、より中立性と公平性を担保するとともに「送配電網運用委員会」なるものを立ち上げ、系統利用者や**広域機関**[※1-6]に対して、さまざまな電力安定供給に向けた提言を行うことになった。

例えば、2021年度の需給調整市場の開設に先立ち、自主的に行っている調整力の広域運用に関しての検討や、広域機関への報告を行っている。

ただし、旧一般電気事業者の扱いについては、本来発電部門と小売部門を分離しないと真の公平性は実現しない、との声が多いのも事実である。

その上で、電気事業連合会内の設立準備室で準備を進めてきた送配電網協議会を2020年10月1日より設置し、系統・需給運用、設備計画、需給調整市場に係る技術的事項を中心とした業務等を一般送配電事業者と連携して運営推進していくことになった。

また、送配電網協議会内の「需給調整市場運営部」が、需給調整市場に係る受付窓口業務を実施していくことになった。

※1－6　広域機関（正式名称：電力広域的運営推進機関　通称：OCCTO）
電力広域的運営推進機関は、電気事業法に基づき、日本の電気事業の広域的運営を推進することを目的として設立された団体である。日本の全ての電気事業者が機関の会員となることを義務付けられている。

図6　送配電部門の中立化（法的分離と行為規制の導入）

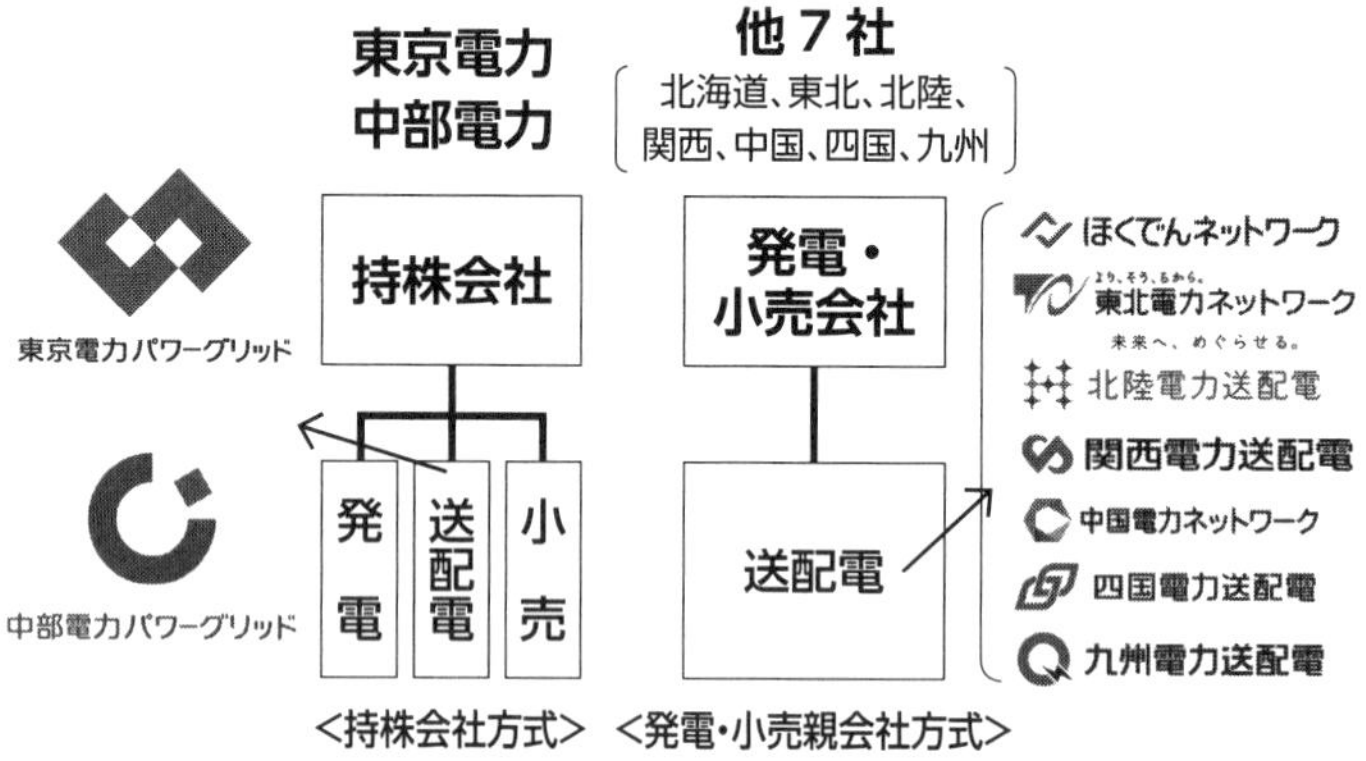

出典：電力システム改革の進捗と委員会の取組について 2020年9月18日 電力・ガス取引監視等委員会

今後、さらなる中立性・透明性を確保する観点から、２０２１年４月には電気事業連合会から独立した組織として「送配電網協議会」を設立し、業務運営することが予定されている。

また、電力システム改革では、競争力促進、電力安定供給、環境整備という観点から、新市場の整備を並行して行ってきており、今後も継続した改革がなされていく。

２０１８年５月からは、太陽光や風力等のＦＩＴ電源の非化石価値を取引する市場が立ち上がり、今後の再生可能エネルギー比率向上の大きな施策として、取引が開始されている。

非化石市場は、ＪＥＰＸを介して低炭素投資促進機構（ＧＩＯ）が売り手となり、小売電気事業者が非化石価値を購入する市場である。2020年からは、発電事業者が売り手となり、非FIT電源（原子力、大手水力発電含む）の取引が開始されている。

再生可能エネルギー電源の構成上の増加により、発電予測業務は非常に重要となっており、その仕組み作りを各事業者が進めていくことが必須になる。

この点において、新たな需給マネジメント業務の仕組みが、改めて重要になってくる。

2019年4月には、間接送電権取引市場が開設され、先約制ではなく、連携線利用の権利を市場取引に移行し、スポット取引市場での連携線の制約によるエリア値差が補填できるようになり、競争を促進することになった。

また、同年8月からは、ベースロード市場ができ、大手電力及びJパワーを売り手とする原子力・一般水力・石炭火力等の需要ロードカーブのベース部分を補う電源の取引が可能になったが、期待よりも高い価格であったため、当初はあまり取引量が増加しなかった。

しかしながら、特重施設対応により原子力が止まる時期があるのに加え、その他大型発電所の点検による停止等の要因で、夏季冬季の天候変動を含めたJEPX相場の不透明感もあり、取引は少しずつ増加の傾向にある。

さらに、同年9月より電力先物市場が試験上場され、東京商品取引所を介した発電事業者や小売電気事業者だけではなく、金融機関・投資会社を巻き込んだ将来の電力スポット市場における販売・購入が現物取引を伴わない形でできるようになり、将来的な価格変動リスクをヘッジできるようになった。

この分野においては、ようやく本格的に黒船が襲来するフェーズになっており、外資系金融会社が、トレーディングのノウハウを武器に、小売事業者へのファイナンスサービス、電力調達サービスを開始する方向で準備が進んでいる。

このように、電力自由化後も、市場設計等における改革は歩みを進めており、競争できる環境整備が少しずつではあるが進展している現状がある。

さらに、容量市場が開始され、今後需給調整市場ができる。同時に、FIP制度の導入、インバランス制度の見直しや配電ライセンス化を含めた託送制度の改革が予定されており、小売電気事業を取り巻く環境が整備されていくことになる。

2020年7月に初のメインオークションが開始された容量市場は、2024年の供給力確保を目途に開設された。

発電事業者・**デマンドレスポンス**[※1-7]事業者（以下、DR事業者）を売り手として、4年後に必要な供給力（kW価値）を取引する。買い手は広域機関であり、購入費用は全ての小売電気事業者から容量拠出金として徴収することでまかなうものである。

この容量拠出金は、エリアの最大需要電力発生時の小売電気事業者のシェアにより半年ごとに算定されることになり、新電力側は大きなコスト負担となるため、短期的事業収支に大きく影響することは否めないが、机上では相対電源コストの安定化等を中長期的に見ればメリットがあるとされている。ただし、経過措置を加味しても、小売事業者からは負担増以外のメリットはないという主張も多く、制度については慎重な運用・改善見直しを要望する意見が多いのも事実である。

実際、２０２０年9月14日に、当初予定の8月末から遅れて初回のオークション落札結果が発表された。価格は１kW＝１万４１３７円であり、新規建設に必要なコストをベースに算定された指標価格１kW＝９４２５円の１・５倍で、上限費用マイナス1円のレベルにはりついた結果となった。この上限値に近い結果を受けて、想定より相当な高額であると考える小売電気事業者は多く、事業インパクトは大きなものになる。

小売電気事業者の間では、事業が継続できるかどうかという話まで持ち上がっており、

※1-7　デマンドレスポンス（DR：Demand Response）
需要家側エネルギーリソースの保有者もしくは事業者が、そのエネルギーリソースを制御することで、電力需要パターンを変化させること。DRは、需要を減らす（抑制する）「下げDR」、需要を増やす（創出する）「上げDR」の二つに分類される。

図7　今後の電力市場設計について

市場	役割	主な取引主体
容量市場	国全体で必要となる供給力（kW 価値）の取引	広域機関
卸電力市場	計画値に対して不足する電力量（kWh 価値）の取引	小売電気事業者
需給調整市場	ゲートクローズ後の需給ギャップ補填、30分未満の需給変動への対応、周波数維持のための調整力（ΔkW 価値+ kWh 価値）の取引	一般送配電事業者

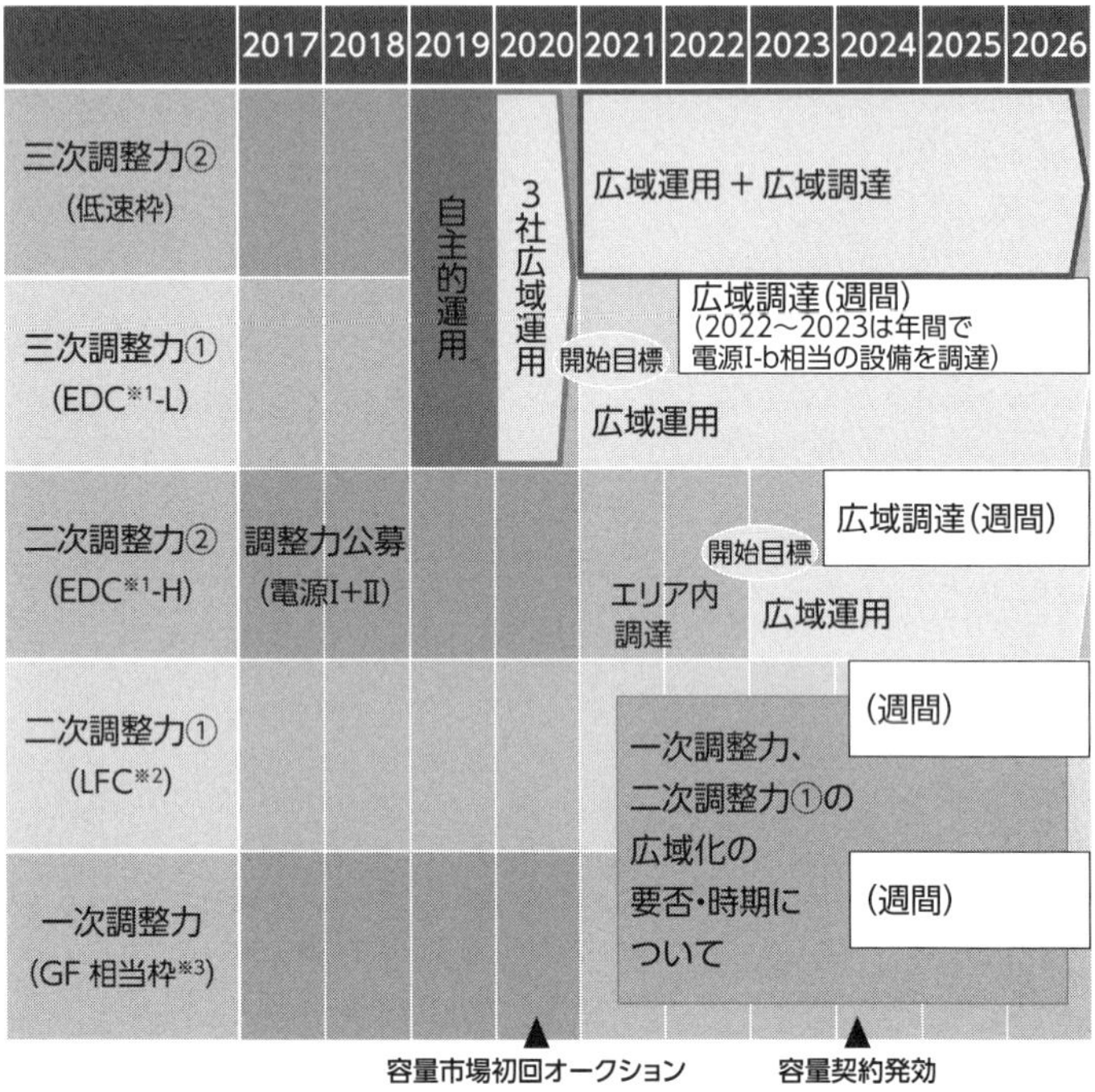

※ 1 経済負荷配分制御:全体の発電費用が最小となるように各発電機の出力を制御（小売電気事業者の経済負荷配分とは異なる）。
※ 2 負荷周波数制御:周波数維持を目的として数分から数十分程度までの需要の短時間の変動を対象とした制御。
※ 3 ガバナフリー制御：発電機が自ら周波数変動に対して出力調整を行う制御。

出典：2019年4月25日　電力広域的運営推進機関資料を参考に作成

さらにメディアで国民負担がどうなるか等の報道もされている中、新電力会社からの陳情もあり、2025年以降分のオークションのあり方についてMETI内でも見直しの議論が開始された。

いずれにしても、容量市場は、今後の制度設計の変更や進め方等について小売電気事業者への影響が注視されており、見直されることを期待したい。

実際に、2020年12月1日に実施された内閣府の「第一回再生可能エネルギー等に関する規制等の総点検タスクフォース」では、容量市場の制度に関して、一旦凍結した上で廃止を含めて再検討するべきとの意見が出されている。

一般送配電事業者は、2016年から電力の安定供給のため、調整力の公募を開始しているが、この調整力公募は、需給調整市場へと移行される。

調整力公募は、電力の完全自由化で、一般送配電事業者がエリア内の周波数制御や需給バランス調整を担《にな》うことになり、その調整を行うにあたり、特定電源への依存やコスト適正化の観点で、公募で調達するようになった経緯がある。

調整力としては、一般送配電事業者の専用電源ともいえる「電源Ⅰ」、小売電気事業者の余力を活用する「電源Ⅱ」に分類され、一般送配電事業者が年度ごとに、発電事業者やDR事業者から公募で調達する。

図8　容量市場制度の概要

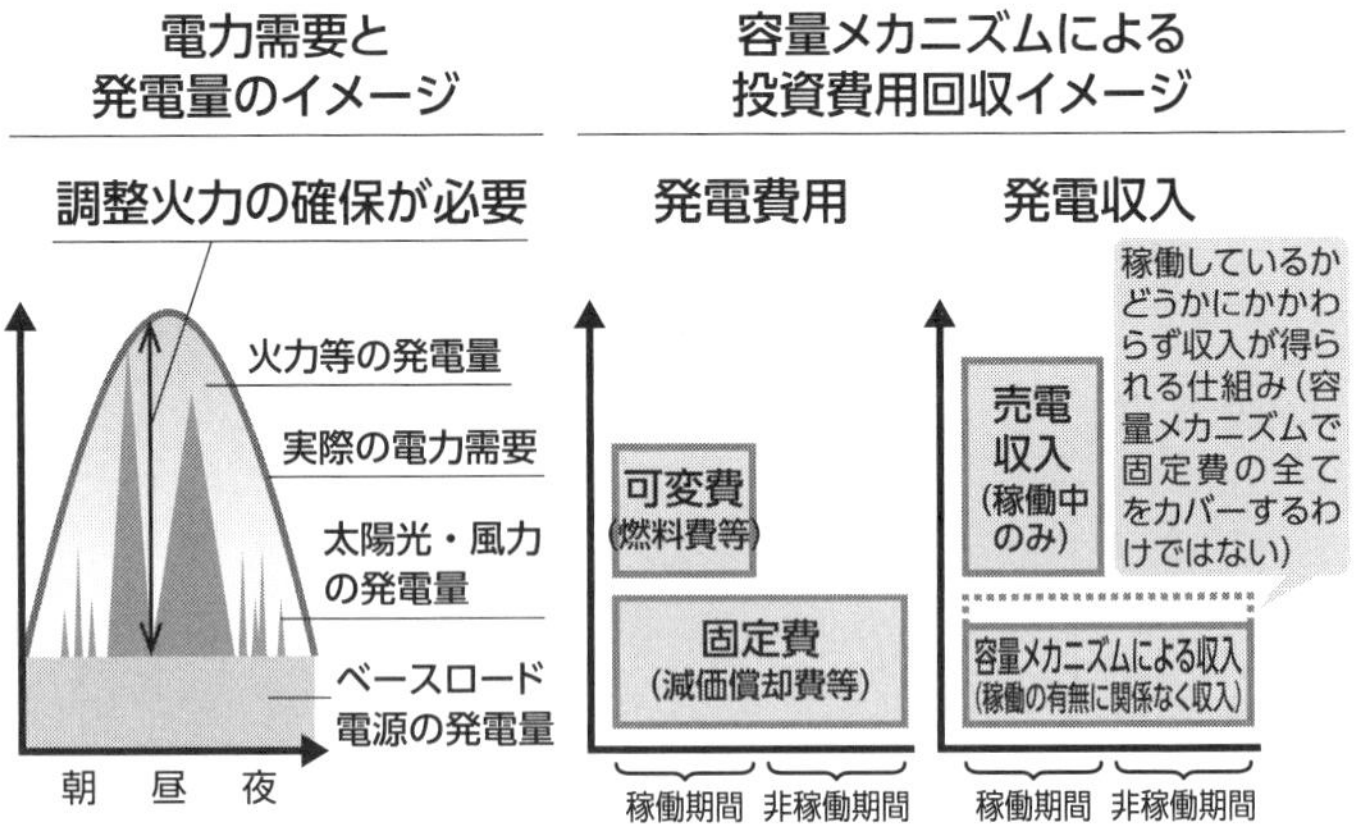

出典：電力システム改革の進捗と委員会の取組について 2020年9月18日 電力・ガス取引監視等委員会

需給調整市場へは、2021年から段階的に移行されることになっており、調整力の調達はエリア内から広域化する方向となっている。

一般送配電事業者が、発電事業者やDR事業者、アグリゲーターから、必要なときに調達力を運用する権利（ΔkW〈デルタキロワット〉価値、kWh価値）を調達する。

この需給調整市場の開設と並行して、インバランス料金制度の見直しも進められており、より厳密に計画地同時同量の義務を遵守《じゅんしゅ》しなければならなくなる方向に進んでいく。

経過措置の2年間（2021年から2022年は、200円／kWhが上限値）を過ぎると、現在議論されているインバラン

図9　需給調整市場の整備

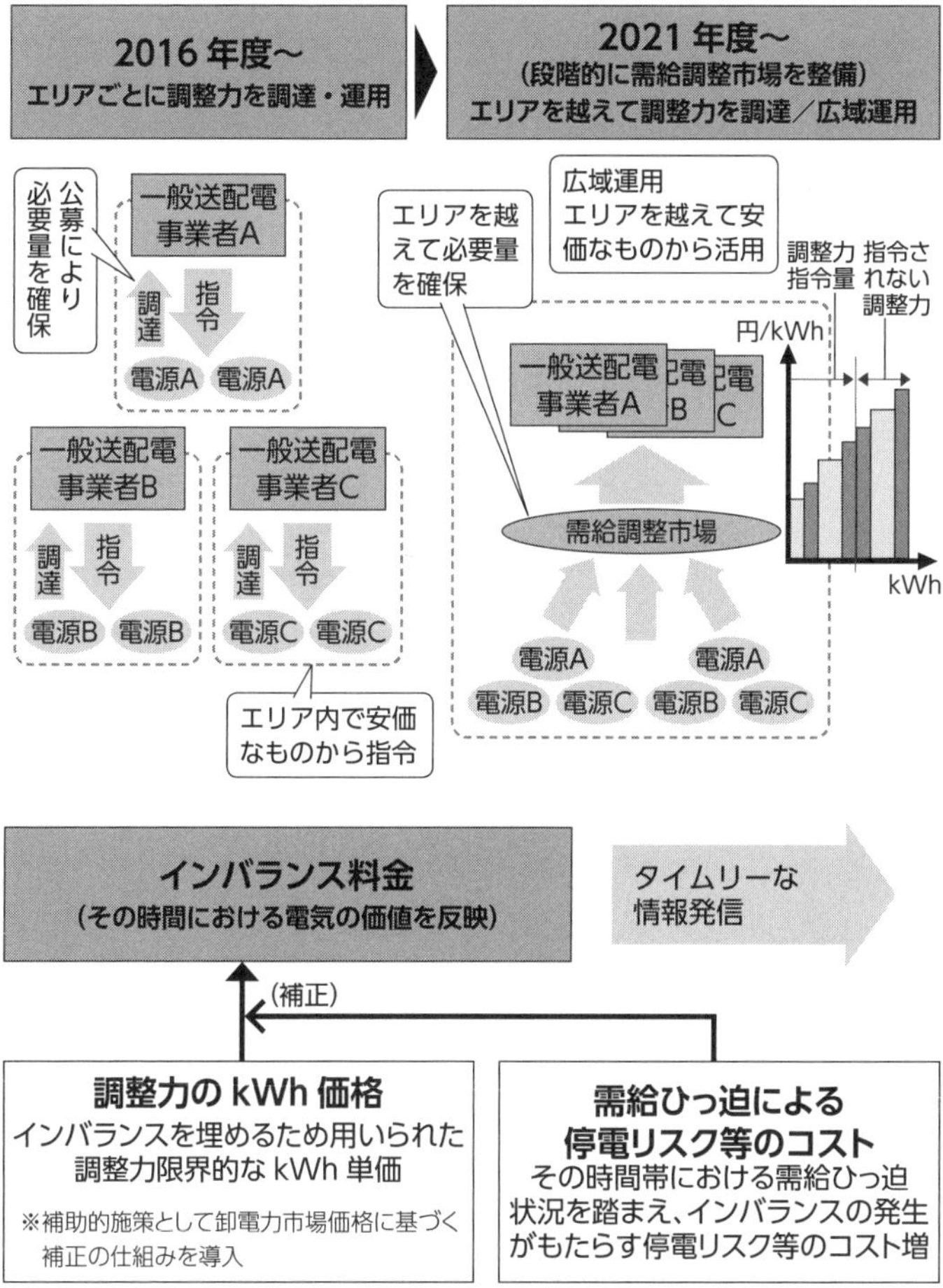

出典：電力システム改革の進捗と委員会の取組について 2020年9月18日 電力・ガス取引監視等委員会

ス料金は、上限値が600円／kWhとなると想定されており、小売電気事業者にとって、非常に大きなインパクトがある。

このため、需給管理業務及びその実現方法が益々重要になると同時に、その仕組み次第では、小売電気事業者の収益に大きく影響を及ぼすことになる。

エネルギー基本計画と再生可能エネルギーの今後

ここでは、2030年に向けたエネルギー基本計画（第5次）とエネルギー供給構造高度化法を概観すると同時に、再生可能エネルギーの今後について、FIT制度や地域マイクログリッド等の観点も併せて概説する。

エネルギー基本計画については、すでに第6次の基本計画の検討・議論が開始されているところである。エネルギー基本計画（第5次）では、2030年に向けた政策対応として、次の点が掲げられている。

・再生可能エネルギーの主力電源化に向けた取り組みとして、低コスト化、系統制約克服、調整力確保等を目指すこと

・エネルギーシステム改革の推進による競争促進・市場整備等の実現

図10　3E+Sとエネルギーミックス

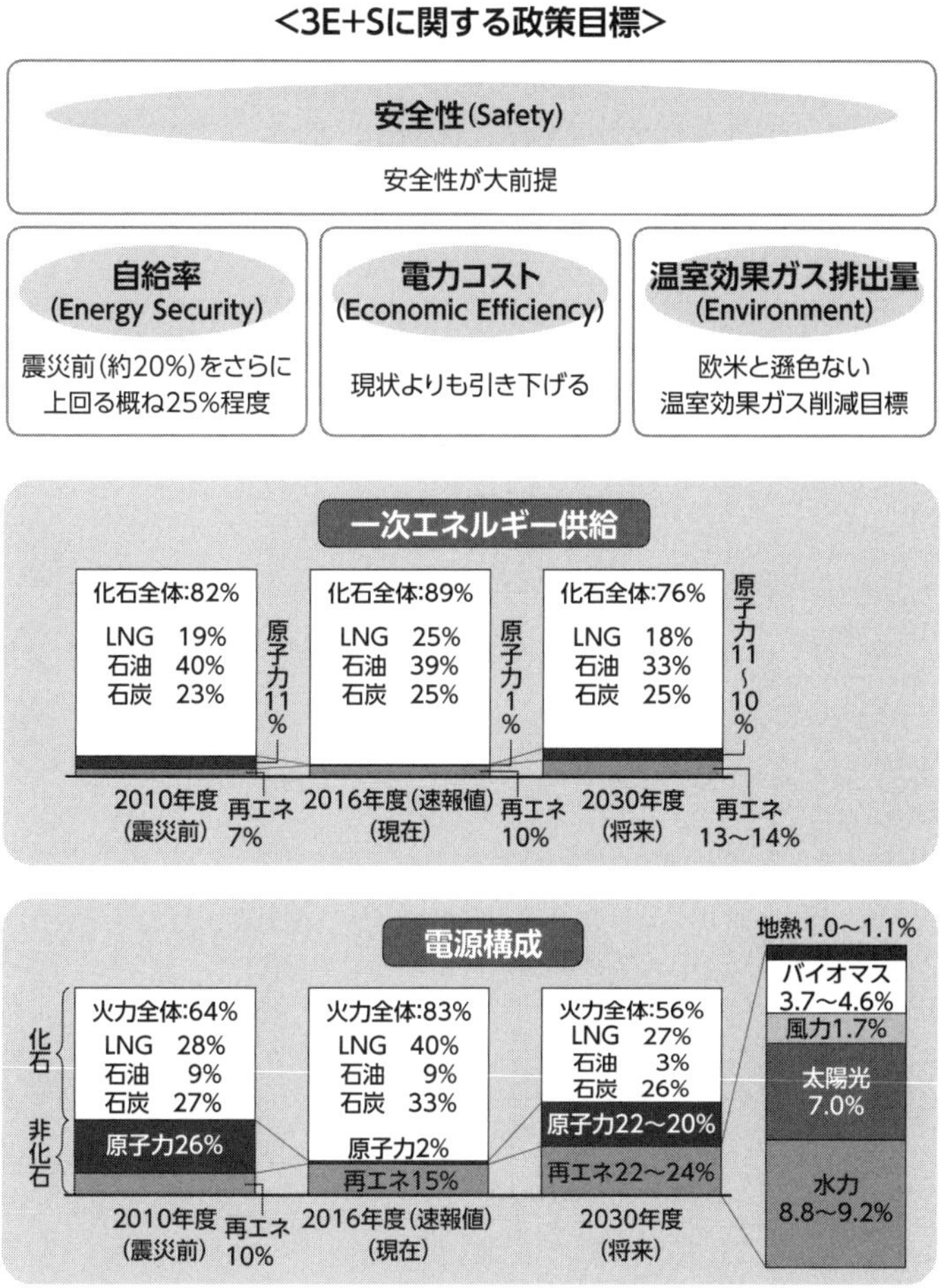

出典：2030年エネルギーミックス実現へ向けた対応について ～全体整理　平成30年3月26日
資源エネルギー庁

・エネルギー供給網の強靭化（災害対策）
・二次エネルギー構造の改善における蓄電池やＥＶ（電気自動車）促進＊

＊２０３０年の次世代自動車の普及目標と整合的なＥＶ・ＰＨＶ（プラグインハイブリッド自動車）の新車販売台数に占める割合を20％と設定する

また、具体的なゼロエミッション比率目標は、２０３０年に44％となっており、急速なコストダウンが見込まれる電源（太陽光、風力）と、地域の共生を図りつつ緩やかな自立化に向かう電源（地熱・バイオマス・水力）に分けて、主力電源化に向けた取り組みを整理していくことになる。

現状の再生可能エネルギー導入見込みから比率的には達成可能の見通しがあり、次に述べるエネルギー供給構造高度化法の対象電力会社の販売量における現状発電量のカバー率は、原発を含め約50％となっている。

この基本計画に沿って、エネルギー供給構造高度化法が制定されており、概要は次の通りとなっている。

エネルギー供給構造高度化法は２００９年に制定され、エネルギーの安定供給・環境負荷の低減といった観点から、電気事業者に対して、非化石エネルギー源の利用の促進を義務付けている。具体的には、年間販売電力量が5億kWh以上の小売電気事業者（2020年9月時点：61社）に対して、エネルギーミックスを踏まえ、自ら供給する電気の非化石電源比率を2030年度に44％以上にすることを求めている。

また、2017年度分より非化石エネルギー源の利用目標達成計画（達成計画）を、経済産業大臣に提出することとなっているが、中間目標値の設定にあたっては、別途、国が各小売電気事業者に通知することとされており、現時点では、2020年の非化石電源比率26・1％をベースに、**グランドファザリング**[※1-8]非対象事業者の非化石電源比率目標23・2％を基準値として、目標設定される方向の議論が進んでいる。

この際に、小売事業者が購入する非化石証書の量は9％程度になると想定されている。FIT電源を除いた状態では、再生可能エネルギーの電源構成がそれほど大きくない新電力がほとんどである。今後、非FIT等の電源構成を増やすにしても、非化石証書頼みのところが多いのが現状であり、事業収支に関わるコストインパクトは大きい。

今後、全ての小売事業者に義務付けられる可能性はあるが、達成基準の暫定措置や非化

※1-8　グランドファザリング
非化石電源の新規の調達の困難性や事業環境の激変を防ぐという観点から実施される非化石電源調達における特例措置のこと。

石証書のコスト低減等の施策が取られると想定される。

現状で、高度化法対象の大手新電力：対象外の新電力の販売量の割合は、大体の数字で、10：3程度であるが、今後対象が拡大することになれば、結果、中小の新電力にとっても、大手以上に事業インパクトがあるため、今後の制度設計の方向性が気になるところである。

FIT制度は、再生可能エネルギー電源の普及拡大を狙いとして、2012年7月にスタートし、2017年4月の改正FIT法を経て、再生可能エネルギーの主力電源化に向け、さらなる改正がなされようとしており、2020年末にはその内容が確定されることになった。

改正の発端は、FIT制度における賦課金の国民負担の増大であり、2019年においては、買取費用は約3兆6000億円、うち賦課金総額が約2兆4000億円となっており、賦課金単価は2・95円／kWhで、標準的な家庭の負担は、767円／月となっている。

国民負担軽減のためのさらなる改正では、FIT対象電源のうち、事業用の太陽光や風力発電等の大規模なものは、競争電源として、自立化を目指す新制度になる見込みで、市場価格に一定額を上乗せして買い取るFIP（フィードインプレミアム）が導入される。

売電収入の基準固定価格とプレミアム算定のための参照価格の差が、発電事業者が受け取るプレミアム収入となる。

小規模な太陽光やバイオマス・地熱、小水力については、災害時の電力供給という電力**レジリエンス**※1-9の観点や、地域マイクログリッド等の地域の電力供給サービスの役割があると位置付け、自家消費率等の条件をクリアする前提で、FIT制度は一旦《いったん》継続される見通しとなっている。

地域マイクログリッドの実現に向け、蓄電池としてのEVの活用、**VPP**※1-10による需要側電源の統合管理の実証や、託送制度見直しにおける配電ライセンスの実現、計量法の見直し等の制度設計が進んでおり、近い将来には、地域マイクログリッドが、電力レジリエンスの実現と併せて拡大していくのではないかと想定されている。

卒FIT電源（2019年11月以降、FIT契約満了の太陽光等）の買取と活用も開始されており、小売電気事業者がサービス展開の一環で取り組みを開始している。

※1-9　レジリエンス（Resilience）
復元力や回復を意味する。

※1-10　VPP（VPP：Virtual Power Plant）
バーチャルパワープラントとは、電力系統に接続された発電設備、蓄電設備の保有者または事業者が、そのエネルギーリソースを制御することで、発電所と同等の機能を提供すること。これには逆潮流が含まれる。

卒ＦＩＴの件数は、年別の推移では、２０１９年が最も多く53万件、２０２０年：20万件、２０２１年：27万件、２０２２年：34万件、２０２３年：31万件となっている。累計では、２０２０年で73万件、２０２３年には１６５万件（６７０万kW）になると推定されており、小売電気事業者の間でも取り扱いに向けた取り組みが進められている。

さらに今後のことではあるが、２０３２年には、７・３ＧＷ（原発７基分）の事業用再生可能エネルギー（卒ＦＩＴ）の活用が見込まれている。

再生可能エネルギーを需要家に提供するサービスも順次開始されているが、その代表格が、**ＲＥ１００**※1－11となる。

高度化法に合わせて、再生可能エネルギー比率を向上させると同時に、出口のサービスとしてＲＥ１００への期待が大きい。サプライチェーンやRE Action等、中小企業にも拡大する方向であり、十分なポテンシャルがある。

一方、需要家側の再生可能エネルギー価値への意識が現状ではまだまだ低いため、料金

※1－11　**ＲＥ１００**

事業運営で使用する電力を１００％再生可能エネルギーにて調達することを目標に掲げるイニシアチブであり、参加企業は年に1回、再生可能エネルギー電力の利用状況や、再生可能エネルギー電力の発電量について報告が必要となる。２０２０年9月時点で公開されている日本の加盟社数は38社。

図11　再生可能エネルギーを取り巻く環境

世界の潮流から、エネルギー基本計画（国のエネルギー政策の大方針）の達成は必要

高度法の達成と電力事業継続 電力会社の方向性	今後の新電力の動きに合わせて対象が拡大する可能性があり、新電力業界にとっては大きな逆風となる。また、今後、料金等に転嫁できる制度に期待する面もあるが未定であり、非化石証書頼みの事業インパクトは大きい。 ➡ 電源構成としての、FIT でない再エネのニーズは今後高まると想定される。高度化法達成のための非化石証書のコストインパクトが大きい。

RE100 等へのサービス展開	FIP 制度による再エネの調達方向性	地域電力・マイクログリッドの取り組み
高度化法に合わせて、再エネ比率を向上させると同時に、出口のサービスとして RE100 への期待が大きい。 サプライチェーンや RE Action 等、中小企業にも拡大する方向であり、十分なポテンシャルがある。 一方、需要家側の再エネ価値への意識が現状では低く、料金への転嫁等、今後の政策等を含め課題は多い。 ➡ 新電力としては、差別化のサービスとして拡大を期待すると同時に、再エネの活用の機会が多くなることは事業継続を後押しすることになる。 本サービスを加速させるために、新たな再エネのニーズは高い（但し、コストは本事業を促進する上でも、非常に重要なファクターである）。	大型の太陽光、風力は FIP に移行する方向であり、その他電源は地産地消モデルでの活用を促進する方向で、かつ小規模電源は自家消費 30%をベースに FIT が残る形で、諸々の制度等が組み立てられる方向となっている。 エネルギー供給強靭化法案として、国会を通過している。 ➡ 再エネのニーズは高まるが、市場連動の FIT については、非化石証書の購入負荷や安定電源としての価値の評価からベース電源とはなり得ない。 FIT でない再エネ（卒 FIT 含む）には大きな期待があり、新電力のニーズも今後高まると予想される。 2032年には、7.3GW（原発7基分）の事業用再エネの活用が見込まれている。	今後も地域電力は増える傾向にあり、旧一般電気事業者も支援するモデルが立ち上がっている状況である。 また、電力レジリエンス強化とも親和性が極めて高いため、さらにビジネス領域は大きくなる可能性がある。 新電力でも、積極的に支援、または事業参加するところも増えている。 ➡ 地域電力の電源として再エネは最適であるが、大規模な工事が必要な再エネ活用やマイクログリッド等の事業は、補助金がないと成立はしない。また、現時点では実態として再エネへの取り組みも現実的には積極的ではない。 マイクログリッドは、一つの方向であるが、送配電事業のライセンスの制度における参入難易度等を考慮しても、小規模なものを含め送配電利用ベースの実現が現実的な解である。 離島モデルも上記条件と同様であり、できればやりたいという新電力は存在するものの早期実現性は低い段階である。

への転嫁等が厳しく、本サービスが進展するためには、今後の政策等を含め課題は多い。

送配電運用改善と次世代ネットワークの形成

この節では、昨今の再生可能エネルギー活用拡大に伴う送配電事業の運用改善の現状と今後の次世代ネットワークの方向性を概観し、電力小売事業への影響度を考える。

今後、増加していく再生可能エネルギーについて、2018年頃から送配電の運用にも変化があり、さらなる改善に向けて動き始めている。

まずは、2018年後半より実施している九州電力管内に代表される「出力制御」であるが、増加しつづける再生可能エネルギーの発電量を、優先給電ルールに基づき、出力の制御または一時停止する運用を行ってきた。

優先給電ルールでは、①揚水発電稼働や火力発電の出力抑制、②他エリアへの融通、③バイオマス発電の抑制、④太陽光・風力発電の抑制、⑤原子力・水力・地熱発電の抑制の順序で制御を行うことになる。

次に、既存の系統への再生可能エネルギー電源の接続を増やす運用改善として、2018年より「日本版コネクト&マネージ」の運用が順次開始されている。

2018年4月から、想定潮流の合理化を実施し、約590万kWの空き容量の拡大効果を実現した。想定潮流の合理化とは、全ての電源がフル稼働した前提ではなく、実稼働の状況に近いことを想定して実施する運用である。

また、2018年10月から、系統で事故が発生した場合において瞬時に遮断する運用を前提とする「N－1電源制限」が一部実施されている。これにより接続可能容量は、約4040万kW拡大したと言われている。

さらに、送配電が混雑しているケースにおいて、出力制御をする前提で、新規電源接続を許可する「ノンファーム型接続」について、詳細の制度が検討されている。

増加する新設電源のニーズに応えるため、2020年4月より適用された「グリッドコード」も追加される。

グリッドコードは、大きな意味では、電力の安定供給のため、電力のネットワークの計画・運用、発電機の接続について定めたルールであり、まずは、火力・バイオマスの新設電源について周波数調整機能を備えることを義務化した。また、風力発電についても出力変動緩和のための技術要件を定めている。

送配電事業においては、設備の老朽化対策も喫緊《きっきん》の課題として浮上している。特に今後需要が減少する地方では、減少のスピードが速くなることが想定される。また、再生可能エネルギーの増加やＰＰＡ[※1-12]モデルの拡大等で、自家消費の電力量が増えると考えられ、託送収入が減少していくと言われている。

次世代ネットワークでは、設備等仕様の統一によるコスト削減や、インセンティブ規制（**レベニューキャップ制度**[※1-13]）を取り入れ、最大限ネットワークコストを抑制しようと施策を検討中である。

インセンティブ規制は、コスト削減分を事業者に還元する等で、託送料金の低減を促す方式であり、国が一定期間ごとにレベニューキャップを設定することにより、事業者側の効率化を促進することになる。

また、一般送配電事業者が取り組むべき設定目標として、次のような内容が議論されている。

・安定供給：中長期的に見て安定的かつ質の高い電力を供給すること
・再生可能エネルギー導入拡大：再生可能エネルギー導入を予測した主体的な系統形成を行い、系統接続を希望する再生可能エネルギー電源に公平かつ迅速な接続機会を提供すること
・サービスレベルの向上：顧客及びステークホルダー志向のネットワークサービスのレベルをさらに向上させること

・広域化：広域メリットオーダーや送配電事業のレジリエンス強化、コスト効率化達成に向けて、全国レベルでの広域的な運用を行うこと
・デジタル化：ＡＩ、ＩｏＴなどのデジタル技術やアセットマネジメントシステムを活用して保安業務の高度化を図る等の取り組みを行うこと
・安全性・環境性への配慮：公衆、従業員や工事関係者の安全を確保し、また環境への影響にも配慮した取り組みを行うこと
・次世代化：送配電事業における課題の解決に向けた新たな取り組みを通じて、送配電ネットワークの次世代化を図ること

託送料金は、小売電気事業者が１００％負担しているが、２０２３年を目処に、10％程度の基本料金を発電事業者にも負担させる制度設計も進められている。

※1－12　ＰＰＡ（Power Purchase Agreement）
小売電気事業者と発電事業者の間で結ぶ「電力販売契約」のこと。
※1－13　レベニューキャップ制度
新しい託送料金制度。一般送配電事業者が、一定期間ごとに収入上限について承認を受け、その範囲内で柔軟に料金を設定できる制度のこと。詳細設計により、一般送配電事業者が送配電費用を最大限抑制し、必要な投資を実施する仕組みとなる方向である。

図12　レベニューキャップ制度のイメージ

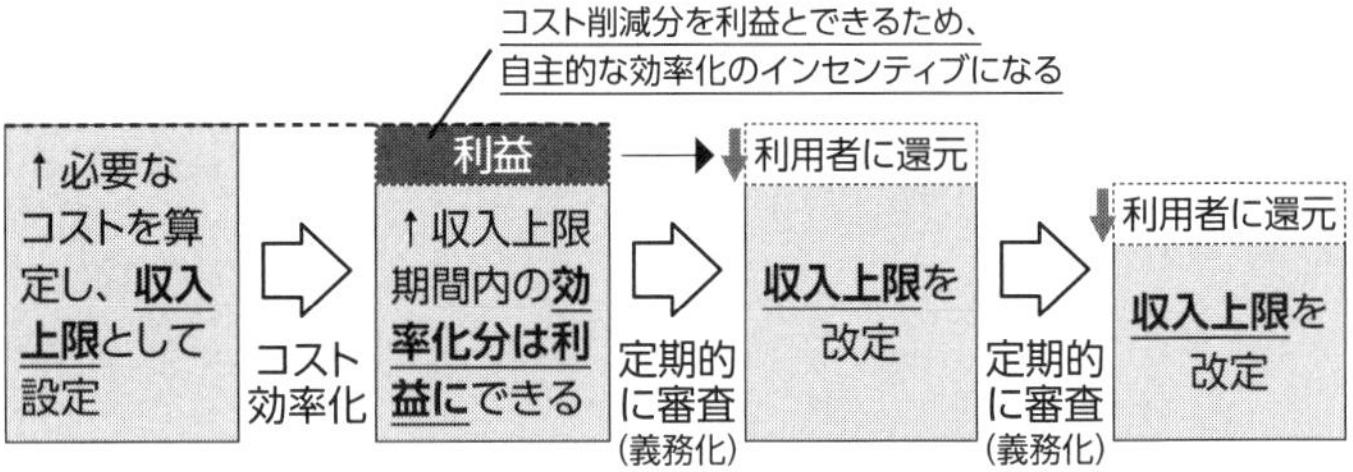

	日本（現行）	欧州（英、独）
基本スキーム	**<総括原価方式+柔軟に値下げ可能な制度>** ○料金値上げ：**認可制**（総括原価方式） ○料金値下げ：**届出制**（柔軟に値下げ可能） ※超過利潤が大きい場合等は料金変更命令	**<インセンティブ規制（レベニューキャップ）>** ○事業者提出データに基づき、規制当局が**一定期間ごとに収入上限（レベニューキャップ）を決定** ○事業者は、この一定期間のキャップの下、効率的な事業運営を行うインセンティブ
必要な投資確保	○認可時に想定し得なかった**費用増などにより料金値上げを行おうとする場合、認可申請**が必要	○**事前に想定し得なかった費用増**（新規電源接続に係る設備新増設等）、**需要変動、調整力の変動分**などは、**機動的に収入上限に反映**
コスト効率化	○認可申請時には、**事業全体について厳格審査** ○超過利潤が大きい場合等には料金変更命令	○**事業者自らの効率化インセンティブ**が働く ○規制当局が**定期的に収入上限を査定**・決定 ○**複数の事業者のコスト効率化度合いの比較**・評価

出典：持続可能な電力システム構築に向けた詳細設計 2020年7月20日 資源エネルギー庁

発電事業者が相対取引で本コストを上乗せする場合、小売電気事業者の負担軽減になるかどうか微妙なところであるが、地域でのネットワーク増強については、再生可能エネルギー発電事業者にもメリットがあるため、その点においては、公平な形になるのではないかと考える。

さらに、今後予定されている地域間連携線の増強（北海道―東北、東北―東京、東京―中部）については、全国負担の原則で、託送料金で回収する方向が示されている。送配電ネットワークの増強については、発電者発信ではなく、一般送配電事業者や電力広域的運営推進機関が主体的に進めていく方向も出されている。

配電ライセンスの詳細設計も進められており、事業参入のハードルは非常に高いと想定されるが、地域マイクログリッドの構築を含め、地域電力等を中心とした新たなサービス提供への期待が膨らむところである。

配電ライセンス制は、一般送配電事業者から設備を譲渡・貸与する前提になっているが、託送料金が近接エリアと比較して適正ではないケースは改善命令を出す等を含め、一般送配電事業者と同等の義務・規制をかけることで、電力供給の安定を担保していく。

一方、現在まで、特定送配電事業者が実質的に行ってきた自営線の敷設等事業化への障壁を取り除き、迅速な事業展開ができるようになる。

現在、**自己託送制度**[※1-14]を利用する動きも拡大しており、配電ライセンス制度の今後の活用を含め、サービスが多様化していくことを期待している。

収益性の高い地域のみを事業化し、収益性が低い地域へコスト面での皺《しわ》寄せがいく「クリームスキミング」をどのように防止するか等、結果的に料金値上げになる状況も懸念されており、今後の詳細設計の動向を見守りたい。

また、家庭用の太陽光発電やＥＶ等の普及で、ネガワット取引等の需要家プロシューマ化におけるニーズが出てきていることから、計量法の見直しの検討が開始されている。取引に用いる電気計量について、パワーコンディショナー、ＥＶの充放電設備等リソースに付随する機器で行うのが理想ではないかという議論がされている。

現行の電気計量制度では、計量法に基づく型式承認または検定を受けた計量器で計量することが必要となっている。計量の誤差について需要家への説明が十分になされる前提であれば、コスト面を含め付随機器での計量が合理的であることは間違いない。

これにより、太陽光発電であれば、パワーコンディショナーの計量値を用いた取引を可能にして、太陽光発電の電気をさまざまな価格で販売できる。あるいは、ＥＶを蓄電池として柔軟に取引可能とし、市場価格が高いときに電気を売り、安いときに電気を買うといったサービスの提供が期待される。

電力レジリエンスを実現する地域マイクログリットや、ＭａａＳ[※1-15]等の基盤サービスにおける地域カーシェアサービスやＥＶの組み合わせでＥＶを蓄電池化し、電力サービスを実施する、あるいは分散電源の導入によるコスト削減等に取り組めるようになる。小売電気事業者にとって取り組めるサービス範囲は広がるが、配電ライセンスをベースにした事業等は、一般送配電事業者のインセンティブを含めて検討した際に、参入事業者がどこまで出てくるか疑問な点もある。

一方、通信事業者等ある程度設備の維持運用にノウハウがある事業者の参入で、競争原理が働き、かつ適正な形態とコストで配電ライセンス制が軌道に乗ることを期待したいところである。

※1-14　自己託送制度
自社で発電設備を設置する者が、送配電ネットワークを介して、その自社の別の需要場所にある地点、例えば工場等に送電できる託送サービスである。

※1-15　ＭａａＳ（Mobility as a Service）
モビリティ・アズ・ア・サービスの略語。最新のＩＴを活用して交通をクラウド化し、公共交通を含め移動をワンストップで実現するシームレスなサービスであり、決済サービスを含めたさまざまなサービスとのコラボレーションが期待されている。エネルギーもＥＶ等を利用したサービスの組み立てができると想定されている。

次世代ネットワークについては、再生可能エネルギーコスト削減との両輪で、設備コストの最大限の抑制が求められるところである。新たなネットワークがより低コストで利用できるようになることで、小売電気事業者が新たなサービス展開を推進していく原動力になると考えている。

第2章
変化するエネルギー業界と「エネルギー×IT」

▼▼▼

本章では、エネルギー業界の変化を踏まえて、エネルギーと組み合わせるべきITのあり方・活用の仕方について、近年話題になっている仕組みとともに解説していく。

小売電気事業を支える基幹システムの動向と今後の方向性

電力・ガスの自由化の進展により、業務を支えるシステムも少しずつ進化している。戦いの第二ステージに向けて、さらにシステムを改善・リプレースする動きが始まっている。

小売電気事業を支えるシステムは、料金計算を含む顧客管理システム（以下、ＣＩＳ）と、電力の安定供給のベースとなる需給管理システムに分かれるが、ここでは顧客管理の現状と今後を踏まえ、システムの現状と今後を概説する。

ＣＩＳについては、提供するベンダーも数多く、ＣＩＳベンダーの業界マップとしては、ある程度棲《す》み分けができつつある。

多くのＣＩＳベンダーは、広域機関が提供する**スイッチング支援システム**[※2-1]との連携自動化等細かい機能改善とＲＰＡ（ロボティック・プロセス・オートメーション）等の新しい技術との融合をしながら、消費税増税や卒ＦＩＴ等新たな制度への対応を継続してきた。

第二ステージでは、定額やプリペイドモデル、ダイナミックプライシング、レコメンドサービス等の新たな料金・サービスメニューへの対応や、その他サービスの統合管理、その他サービスの請求事務統合、トータルサービスのポータル化が求められている。そのため、すでに導入済みのＣＩＳでは、十分な対応が困難になってきているのが現状である。また、音声を利用したアシスタントサービスや、さまざまなＰａｙサービスへの対応、ＩｏＴを組み合わせたサービス提供等の新たなサービスへの対応も要求されており、ＣＩＳも再構築をする時期にきていると言える。

サービスの統合管理に関しては、次のようなアプローチが開始されている。

◎電力事業をベースに他のサービスを統合する

既存の電力ＣＩＳをリプレースまたは改修し、ガスやその他サービスの顧客・契約管理及び請求管理を統合する方式である。改修によるシステム再構築では、サービス戦略を支える基盤としては、付け焼き刃的な対応になるケースが多く、基本的な対応としてはあまり望ましくない。

リプレースについては、その他サービスについてある程度標準的に対応するシステムを

※２－１　**スイッチング支援システム**
電力の全面自由化に際して、電力託送契約の切り替えに係る各種業務〈契約切り替え、再点〈引越し時の処理〉、廃止、アンペア変更等〉を支援するため、電力広域的運営推進機関が中心となって開発したシステム。

採用し、そのシステムをベースにカスタマイズを加える方式となる。本方式では、パッケージサービスとして、**マイクロサービス**[※2-2]等事業継続が可能な構造をある程度具現化できている上でのシステム採用となるため、今後の変革への対応には、迅速な追随が可能になると想定される。

◎メイン事業をベースに電力サービスを統合する

メイン事業のシステム再構築を基本として、エネルギーサービスの管理の仕組みを統合する方式であり、基本的にはリビルドに近い方式を取るケースが多くなると想定する。

本方式では、事業変革に迅速に対応できるようシステム改修のスピードアップを目標としたマイクロサービス化を目指したり、その他請求業務系の新サービス基盤やデータ連携基盤を一気に整備することになる。今後の業態変化に伴う事業を推進する仕組みとしては、ベストな方式であると言える。

新たに構築するCISは、差別化する上で、第二ステージの戦略上非常に重要であり、今後の新たなサービスを支え、さまざまなサービスを統合管理する仕組みとして生まれ変わる必要があり、一部の大手新電力事業者は、その検討やプロジェクトを始動している。

システム更改で重要なことは、自社の戦略をベースに、ステップを踏んで、最終系のシステムに昇華させる方式や仕組みを導入することであり、第二ステージでも、マイクロサービス等の新たなテクノロジーを取り入れるにしても、身の丈に合ったＩＴ投資を心がけるべきである。

本当に勝負するのは、業界が第三ステージに行く前の段階であり、ここで一旦最終系にステップアップできるシステムの基盤を構築するのがベストであると考える。

一方、需給管理システムは、ソリューションを提供するベンダーも限定されており、選択肢が少ない状況にある。また、バランシンググループ等での受託形態が広く利用されたこともあり、ＣＩＳと比較した場合、ベンダー間における競合の激化は見られない状況であった。

※2－2　マイクロサービス（Micro Services）
ソフトウェアのアーキテクチャの一つであり、個々に開発した複数の小さな（マイクロ）サービスを連携し、システムの管理、運営を行っていく手法である。マイクロサービスの特性は、サービス同士の依存関係が薄く、障害が起きても局所にとどめて影響を少なくすることが可能となり、かつ、新たな技術を取り入れる場合、一部分の変更をしたい場合等も短期間で対応が可能になる。ただし、初期開発規模が大きくなったり、エネルギー系の知見を持ったマイクロサービスの細分化の手法を適切に行えるＳＥがまだ少数であったり、統合運用管理の仕組みが必要になったりするデメリットもある。

図13　需給管理システムベンダー マーケットマトリックス
（事業規模採用分布と機能進化）

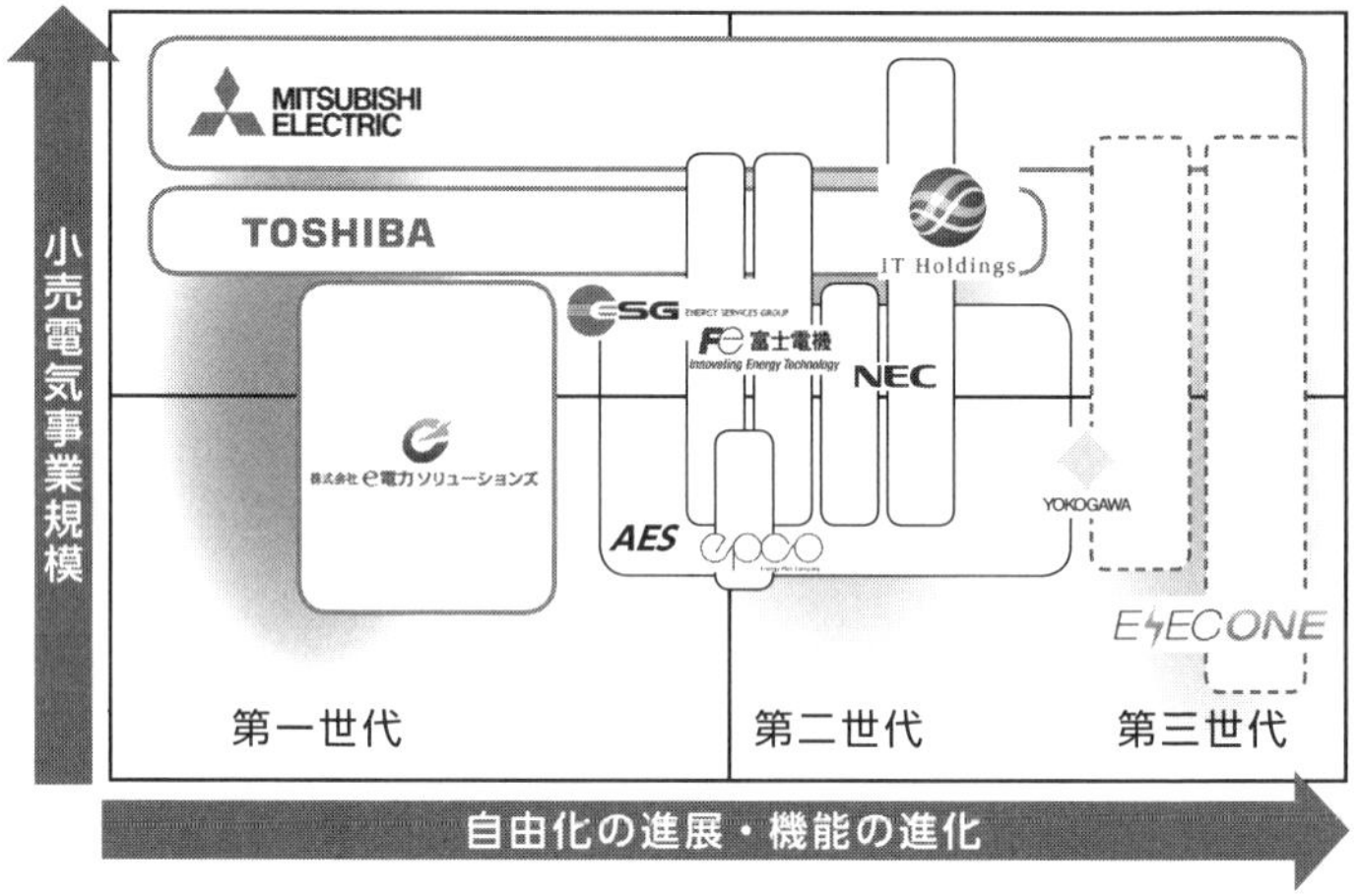

しかしながら、新規参入の新電力や、大手新電力のコスト見直しや業務改善のニーズから新規参入ベンダーが徐々に頭角を現し始めており、選択肢が増えると同時に、機能面で大幅な改善がなされているため、大手を含めたシステムの見直しが開始されている状況にあり、ベンダー間のリプレースは多くなっている。

需給管理業務は、予測・ポジショニング、電力取引、計画策定・提出、日々の需給管理・監視に分けられるが、当日の業務の流れと進捗《しんちょく》を確認するToDo機能、BG管理機能、卒FIT発電予測、需給予測・ポジショニング機能、市場取引（スポット、時間前）機能、FIT電源を含む計画策定・広域機関／旧一般電気事業者及び送配電事業者に対して行う計画提出機能、需給監視機能等が必要となる機能である。

需給管理業務の概要は、大枠では次の通りとなる。

需要予測は、過去実績をベースに、イベント・気象等の外部要因や大口需要家の特定要因を加味し、大口の需要家ごとや需要家グループごと、またエリアごとに需要予測データを補正し、最終確定させる。

その上で、調達側の電源を割り当て（ポジション作成）、さらに自社電源、相対取引、常時バックアップ、ＦＩＴ電源、卒ＦＩＴ電源等を割り当て、発電予測等も加味した上で過不足の部分を追加の市場取引等で調整し、予測とポジションの差を埋める。勿論、約定結果による不足分は、その後の時間前取引で補充をする運用となる。

予測とポジションのバランスが取れたところで、翌日計画を確定し広域機関に提出、計画値同時同量の制度対応をする。

当日、監視業務を行うが、天候等の要因で予想が外れた場合、その後の時間帯の予測を補正し、不足・余剰の調整をするため、時間前市場取引等を行いインバランスが出ないよう調整を行っていくと同時に、計画が変更になる都度、常時バックアップや広域機関への計画変更提出が必要となる。

ＦＩＴ電源については、２０２０年から運用規約が変更になっており、より実態に近い運用になっている。

従来は、ＦＩＴインバランス特例制度１（以下、ＦＩＴ特例１）における自然変動電源（太陽光、風力等）の発電予測値については、前々日の気象予報等に基づき一般送配電事業者が予測し、前々日の16時に小売電気事業者に通知された。そして小売電気事業者はその値を用いて、計画を作成していた。

この運用では、前々日の予測値と当日の実績において大きな乖離《かいり》が発生する可能性が大きくなり、その乖離分を全て一般送配電事業者が調整することになるため、コストが託送料金に上乗せされるという結果を招いてしまう。

このような事態を回避するために、ＦＩＴ特例１の自然変動電源の再通知を前日６時に行うことと併せて、ＦＩＴ特例１の非変動電源についても、インバランス削減の観点から、運用を変更することになった。小売電気事業者が前々日16時以降に、計画変更を求める場合には、一般送配電事業者は運用上可能な範囲で、計画変更の受付をすることになる。

こうした場面においても、需給管理システムにおける自動化機能は必要なソリューションとなってくる。

需給管理業務は、自営する方式以外に、業務委託する方式、ＢＧに参加して委託する方

図14　需給管理システム　自動化機能画面イメージ

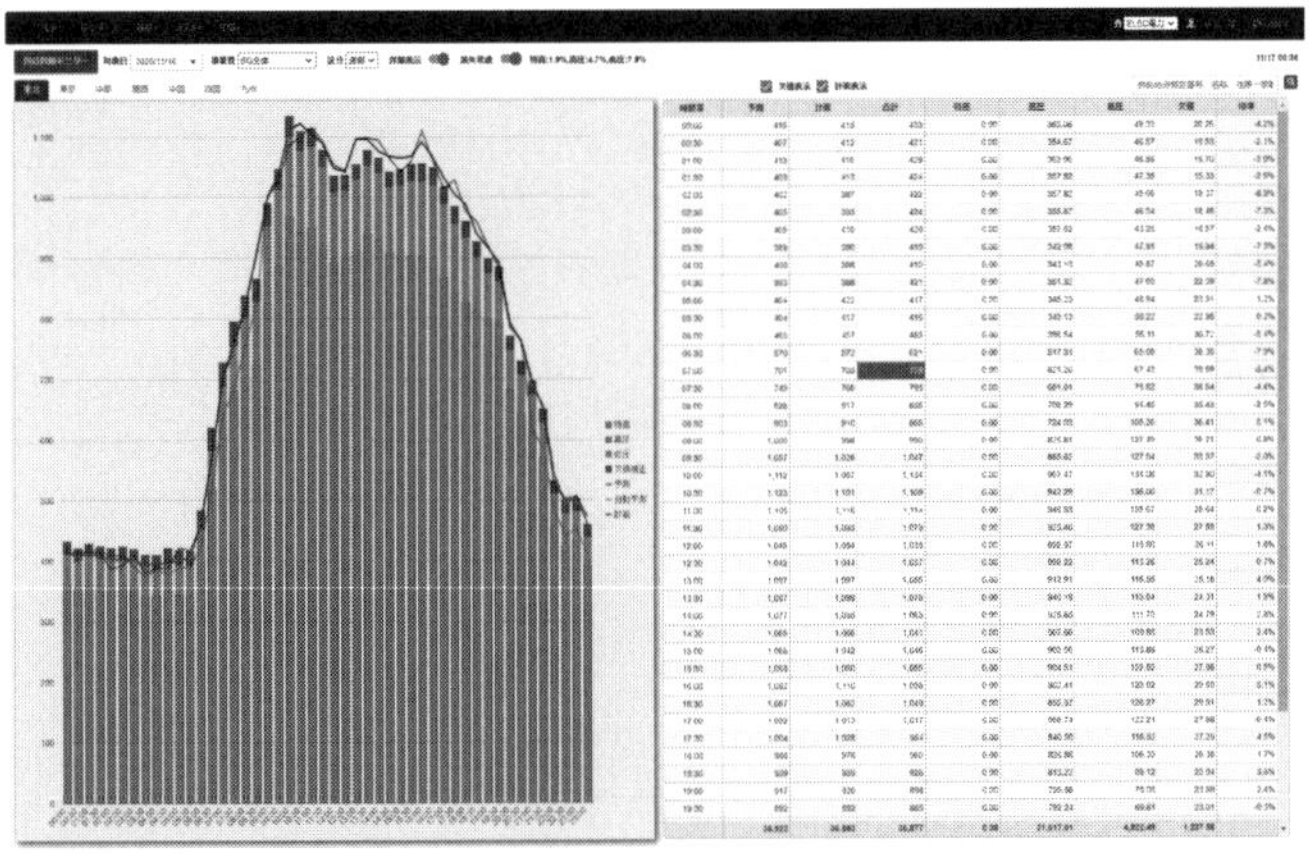

提供：カーネルソフト株式会社

式があり、自由化の当初は、業務ノウハウや体制構築の観点から、委託するかBGに参加する方式が多かったが、この1、2年で自営する事業者も増えつつあり、独自にシステムを導入し、業務の体制を整えるようになってきている。

状況変化を後押ししているのは、自由化が進展し、需要家の契約数を確保し事業が安定している事業者が、BGから離脱して単独で業務を回せる環境になってきていること、またはBGコスト見直しを実施している比較的中小規模の事業者でも、システムの自動化機能等が実装されていたため、体制面・ノウハウ面での導入障壁が低下していることが挙げられる。

需給管理については、単純な業務委託費用やBG参加における委託費用が、契約kWの増加とともに上昇していくことになり、小売事業者の大きなコスト負担になってくる。

この点については、委託費用にキャップをつけている、または定額にしている、あるいは電源卸供給ができれば無償にする等のBG事業者もあるので、一概には言えないが、最終的に自営化するかどうかは比較検討の上、また、アグリゲーター事業への進出等を含め慎重に決めていく必要がある。

需給管理システムの自動化機能の進化により日々実施する定型業務が完全自動化され、その業務負担が軽くなっており、従来この業務のルーチンを理解していること自体もノウハウであったが、その点において業務体制構築が実現しやすくなっている。

需給監視業務も、メールやメッセージでアラートが発信されるため、気づきの仕組みが機能として提供されており、かつ、エラー処理の部分が明確になることで、リカバリー処理も該当シーケンスの処理から実行すればよくなっている。

さらに、クラウド環境にある需給管理のシステムにリモートからログインして適切な処理をする方式も可能となっており、監視業務においても、以前より体制構築が容易になっている。もちろん、本方式による業務体制は、コロナ禍でも非常に有効である。

需給管理の業務担当は、今まで以上に、電源調達の企画や、新たな料金モデルの検討等、営業推進の後押しをすることに時間が割けるようになり、電力事業をより発展的に推進する、かつ、収支改善を実施する役割を担えるようになっている。

さらに、先物市場の利用拡大、容量市場におけるコスト負担増への対応や需給調整市場の設立によるインバランス制度見直しでの需給調整の厳密化等も順次実施していくことになり、事業収支に関わる業務として、益々重要になると同時に、業務のあり方やシステムについても、再検討の時期にきている。

基本エネルギー計画を起点とするエネルギー供給構造高度化法での、今後の制度設計でも非ＦＩＴ電源の活用を含む電源構成の見直しや、非化石証書を活用していくことになると同時に、RE100等の推進における需要家への供給確保も実現していくことになる。

小売電気事業者においては、今後、再生可能エネルギー活用による予測業務の見直しや、アグリゲーターとの協業や自らの取り組みにおける需給調整業務のあり方の見直し等も必要になってくると想定される。

収支管理業務においては、簡易的なシミュレーションを含め、現時点でExcel等属人的な方法で運用している、あるいは30分コマごとではなく大枠での収支計算を行っている事業者がまだまだ多いのが現状であるが、経営のスピードアップを目指し、事業戦略を立案していく上で、システム化が進展していくことになるであろう。

収支管理については、まず、日次・月次収支といった結果を、瞬時に参照できる仕組みは必須であり、BGを組成している場合は、参加の事業者別の収支についての情報サービス化も併せて必要になる。

現状でITベンダーが、パッケージサービスとして展開している収支管理は、①需給管理ソリューションのオプションで提供されているが、シンプルな収支のみの提供であり、料金メニューや需要家ごとに収支が参照できないケース、②収支管理ソリューションとして単独で提供されているが、売上計算・コスト計算は、CISと需給管理側で行い、単にその計算結果を合算する仕組みになっているケースがほとんどである。

図15　収支管理システム画面イメージ

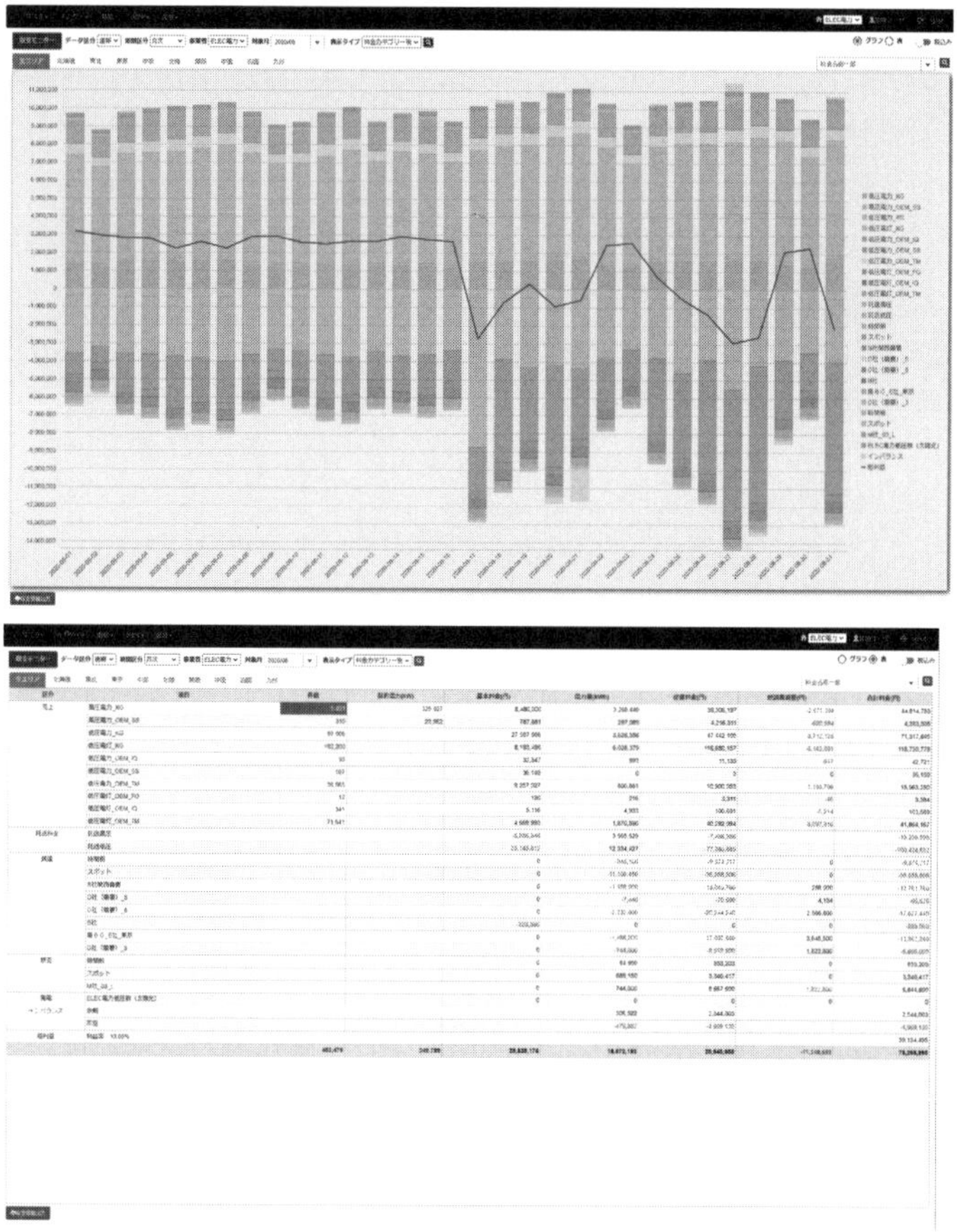

提供：カーネルソフト株式会社

収支管理については、そのシステム単独の機能により、売上・コスト側の計算ができる仕組みが望ましく、契約・料金メニューの情報と需給管理における計画の内容がデータ連携でき、30分コマごとに細かく計算できる収支の仕組みが望ましい。

その上で、電源調達におけるポジションを変更したケースでは、どのような収支になったか、あるいは、需要想定（契約の内容）が変わっていた場合、どのような収支結果になったか等の簡易シミュレーションがほしいところである。

最終的には、市場フォワード予測や、需要フォーキャスト、ポジション変更等のさまざまな組み合わせでのシミュレーションが自由にできる仕組みが必須となる。

今後事業戦略をスピード感を持って変革していく上で、シミュレーション機能は非常に重要なファンクションであり、需要家サービスの向上、例えば、レコメンドサービスの提供等の連携が可能となり、本機能を早期に実現した事業者は優位になると想定できる。

第二ステージに突入したエネルギー自由化であるが、業務・システムも大きな見直し時期にきており、ITコスト削減を含めた取り組みにより、戦略的な投資が必要となってくる。

特に、収支管理を含めた需給管理の高度化による事業の推進や需要家サービスの向上については、顧客管理の上流を形成するシステムとしての需給管理システムのあり方が問われる時期にきている。

ＶＰＰとデマンドレスポンスを支えるＩＴ

ここでは、容量市場及び需給調整市場等で新たなビジネス拡大が期待されているＶＰＰについて見ていくことにする。

ＶＰＰは、仮想発電所と訳すことができる。今後増加する分散電源である太陽光や蓄電池、ＥＶなどのエネルギーリソースをＩｏＴの技術でシステム管理・制御することで、あたかも一つの発電所のように機能させることができる新しい需給調整である。現在に至るまで数多くの実証実験等が行われ、技術的にも確立されてきている。

本事業におけるメインプレイヤーは、アグリゲーターや小売電気事業者となる。

アグリゲーターは、電力系統に接続される太陽光発電設備や蓄電池、ＥＶ等のエネルギーリソースを、監視・制御する事業者のことであり、「リソースアグリゲーター」と「アグリゲーションコーディネーター」の二つの方式が存在する。

リソースアグリゲーターは、各負荷設備を直接的にシステムで管理・制御する事業者であり、アグリゲーションコーディネーターは、リソースアグリゲーターが制御した電力量をまとめて、送配電事業者や小売電気事業者と電力取引を行う事業者である。

図16　VPPとアグリゲーターの関係

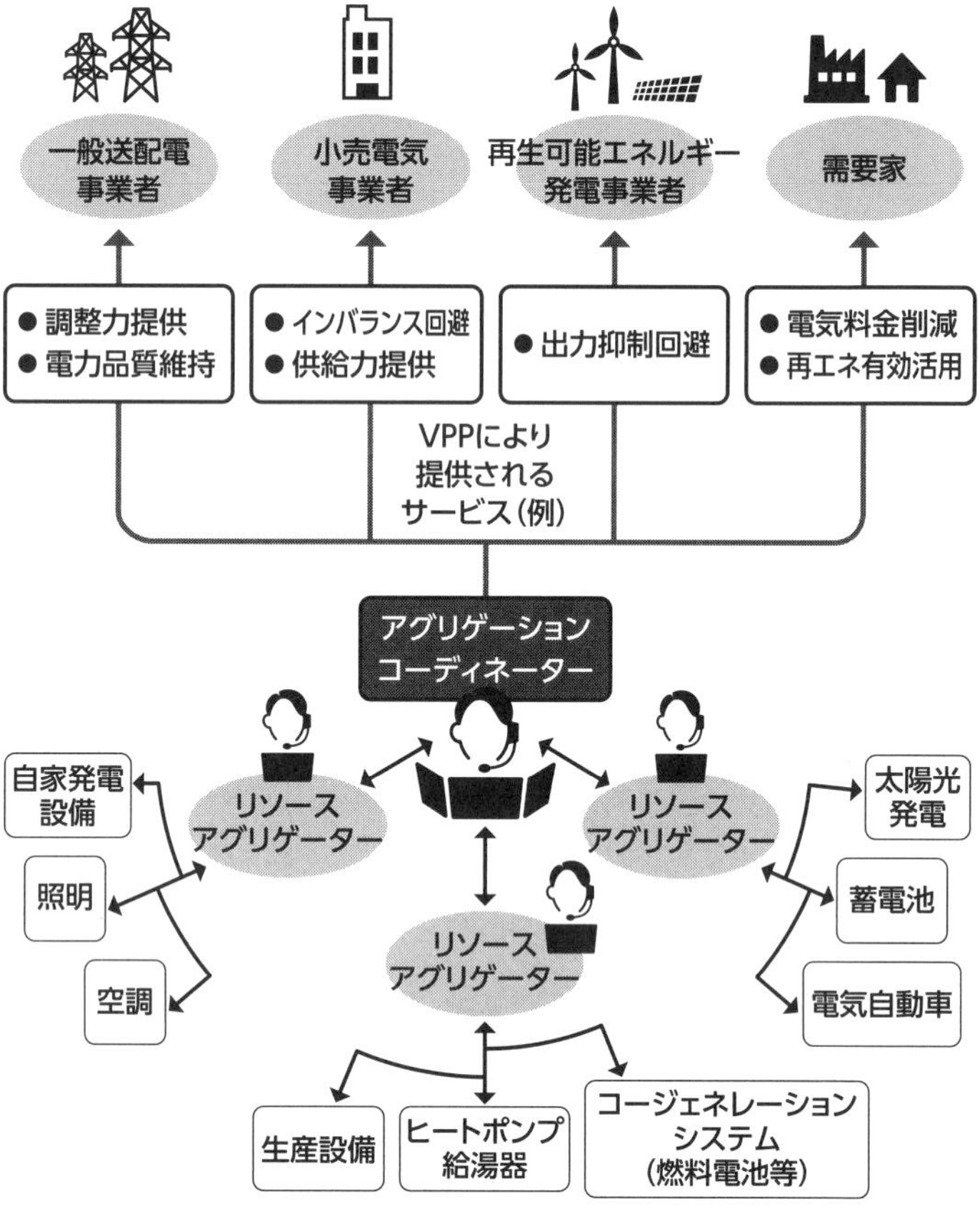

出典：エネルギー・リソース・アグリゲーション・ビジネス ハンドブック（資源エネルギー 庁発行）

ＶＰＰやＤＲを用いて、一般送配電事業者、小売電気事業者、再生可能エネルギー発電事業者、需要家に対し、調整力、インバランス回避、電力料金削減、出力抑制回避等の各種サービスを提供する事業は、エネルギー・リソース・アグリゲーション・ビジネス（ERAB）[※2-3]と呼ばれ、アグリゲーターは、サービスを展開するメインプレイヤーとなる。

まずは、この分野でリソースとして圧倒的に利用されるであろう太陽光と蓄電池、ＥＶの動向について見ていくことにする。

太陽光の現状は、基本エネルギー計画における再生可能エネルギー普及の施策により、発電量は大きく伸びている。２０１９年12月末で、累積導入量は、４万８２８７ＭＷ、累積認定量は、７万２５９３ＭＷという状況であり、今後発電コストも低下していくことになる。

基本計画の中では、太陽光は、大規模開発はもちろん、個人を含めた需要家側に近い位置で自家消費や地産地消を行う分散型電源としても、災害対策用の非常用電源としても利用可能であり、地域電力等の電力のレジリエンスのサービス推進に寄与することになるとされている。

※2-3　ERAB（Energy Resource Aggregation Businesses）
エネルギー・リソース・アグリゲーション・ビジネスの略。

一方、発電コストが十分低減しておらず、出力不安定性等の安定供給上の問題もあるため、ハード面とソフト面両方のさらなる技術革新が必要であるのも事実である。

中長期的に再生可能エネルギーコスト低減を達成し、市場売電を基本とする大型電源を活用していくとともに、分散型エネルギーシステムの昼間のピーク需要での十分な活用と、プロシューマー参加型の分散電源マネジメントの実現等に貢献するエネルギー源としての導入、特に地産地消をベースにした地域分散電源の導入が進むことが期待される。

地域分散電源のポテンシャルを見る上で、地域別の再生可能エネルギー導入のポテンシャルの調査がある。

その一つである環境省「再生可能エネルギーゾーニング基礎情報（平成28年度版）」によると、エリア別でポテンシャルの高い順に、太陽光では、愛知県、北海道、埼玉県、千葉県、東京都、風力では、北海道、岩手県、青森県、秋田県、福島県という調査結果となっている。

次に、蓄電池とエネファーム（家庭用燃料電池）等の現状について概観する。

蓄電池のマーケットは、卒FITにおける自家消費拡大等も影響して拡大している。2019年上期では、5万台以上が出荷されており、その約90％が家庭用で、太陽光の自家消費が進んでいくものと期待されている。この蓄電システムを、供給力や調整力として活用していくことも可能な環境になっている。

また、今後、蓄電池の価格低減やPPAモデルへの組み込みにより、普及が拡大していけば、VPPを利用したエネルギーサービスの推進ができるものと考える。

エネファームは、価格も3分の1程度に低下しており、約30万台が普及している。この仕組みも、市場価格が安いときには出力を抑制して系統電力をできるだけ多く使用し、高いときには出力を増加させて系統電力量を抑制する等、新たな分散電源におけるサービスへの活用が期待される。

市場連動によるダイナミックプライシングにより、需要を自主的にコントロールする、あるいは、分散電源の出力をコントロールして、エネルギーの使用効率を最大化することが今後可能になるであろう。

次に、EVについて見てみると、日本では普及がまだまだという感が否めない状況である。

走行距離や価格については改善されてきているが、充電時間や充電拠点の問題もあり、かつ、充電の元になる電気の由来次第で、本当に地球に優しいのかという議論もある。

「一般財団法人 自動車検査登録情報協会」の統計によると、2019年度のEV保有台数は10万7709台であり、実際の普及率は海外の先進事例と比較して低水準であることは否めない。

今後、再生可能エネルギーの有効利用を含め、充電の問題は改善されていき、充電時間等の問題もテクノロジーが解決していくことになるであろう。

分散電源として期待されるＥＶの活用は、地域電力での独自サービスやＭａａＳ等でも増えていくものと想定している。

次に、ＶＰＰの仕組みを支えるＩＴについて概観するが、本書では概要を説明するにとどめ、詳細については、専門書に委ねることにする。

ＶＰＰの構成要素としては、システム全体構成の末端に近い位置にある宅内の付加設備を監視・制御するための機器である「HEMS[※2-4]」、あるいは「MEMS[※2-5]」がある。

また、ビルや工場等では、空調・照明から蓄熱槽・冷凍冷蔵機器等の熱源設備、そして、コージェネレーションシステム（ＣＧＳ）・自家用発電機の分散電源等の屋内設備を統合し監視や制御するための「BEMS[※2-6]」、あるいは「FEMS[※2-7]」等の機器がある。

この上位層には、需要予測や目標設定等を行うための管理システムがあり、さらに上位の送配電事業者や小売事業者であれば需給管理システムと連携する仕組みがあり、下位層のエネルギーリソースに需要抑制等を指令する仕組みとなる。

これらは各システム間をつなぐネットワークがあり、標準的なプロトコルでデータの通信を行う。

上位層のシステム間では、「OpenADR 2.0b」という統一プロトコルが制定されている。また、下位層の住宅内は、多くのケースで、「ECHONET Lite」仕様が出されている。さらに、業務・工場用として普及する「Modbus（モドバス）」やインターネット回線で広く普及する「HTTPS」やIoT等のデータのやり取りに適した「MQTT※2-8」等も活用されている。

また、需要者間（P2P:Peer to Peer）の電力取引に利用する「ブロックチェーン」をVPPに取り入れるケースも実証段階で採用されている。

実際のビジネスでは、容量市場や需給調整市場への参加におけるアグリゲーターとしてのサービス展開があり、それが、DRサービスとなる。

DRのサービスは、エネルギーリソースの保有者もしくは第三者である需要家が、エネ

※2-4 HEMS (Home Energy Management System)
※2-5 MEMS (Mansion Energy Management System)
※2-6 BEMS (Building and Energy Management System)
※2-7 FEMS (Factory Energy Management System)
※2-8 MQTT (Message Queuing Telemetry Transport)

ルギーリソースを制御することで、自分の電力需要パターンを変化させることを指しており、需要を減らす（抑制する）「下げＤＲ」、需要を増やす（創出する）「上げＤＲ」の二つに分類される。

また、実際の需要の増減を制御する方式には次の2方式が存在する。

① 電気料金設定により電力需要を制御する電気料金メニュー型

② 電力会社やアグリゲーター等と需要家が契約を締結し、需要家が事業者の要請に応じて電力需要の抑制等をするインセンティブ型

なお、インセンティブ型の下げＤＲについては、「ネガワット取引」サービスとして区別される。

アグリゲーターは、下げＤＲの場合、需要抑制分の電気を他の小売電気事業者や一般送配電事業者に提供し対価を得ることになるが、下げＤＲが行われる際、供給元小売は需要抑制分も含めた供給力を調達しておく必要がある一方で、需要家への販売電力量が減少し、調達した供給力の一部について対価を得ることができないため、ネガワット調整金により補充ができる仕組みが検討されている。

図17　ネガワット取引の全体図

■取引の全体図

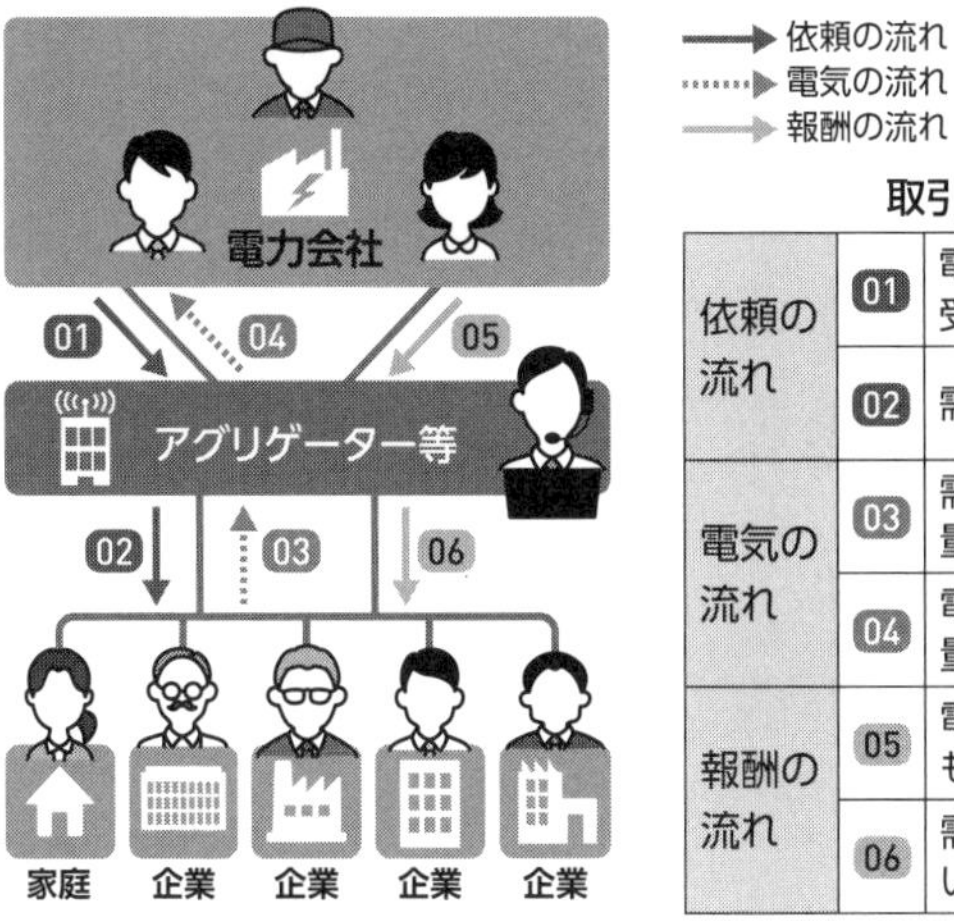

取引の流れ

依頼の流れ	01	電力会社から依頼を受けます。
	02	需要家へ依頼します。
電気の流れ	03	需要家から需要抑制量を束ねます。
	04	電力会社へ需要抑制量を提供します。
報酬の流れ	05	電力会社から報酬をもらいます。
	06	需要家へ報酬を支払います。

■ネガワット取引の類型

ネガワット取引は、目的・用途によって、以下のように区分されています。

類型	目的・用途
類型 1	小売電気事業者の「計画値同時同量」の達成
類型1①	小売電気事業者が、自社の需要家によって生み出された需要抑制量を調達するもの
類型1②	他の小売電気事業者の需要家によって生み出された需要抑制量を調達するもの
類型2	一般送配電事業者の「調整力」としての活用

出典：エネルギー・リソース・アグリゲーション・ビジネス ハンドブック（資源エネルギー庁発行）

アグリゲーター事業は、専門事業者としても小売電気事業者としても、今後有望なサービス事業である。自社のサービスとの組み合わせ、VPPやDRの仕組みを効率よくスピード感を持って導入するためには、外部の専門的なサービスとの連携が必須となる。顧客管理や需給管理を含めた事業の基盤になるシステムとの連携をスムーズにできるよう、API[※2-9]等のシステムインターフェースを想定して、次期システムの構想を策定することが重要なポイントとなる。

今後のエネルギー事業で求められるセキュリティ

通常の小売電気事業者に必要となるシステムは、顧客管理のベースとなるCISと需給管理システムである。このCIS及び需給管理システムは、広域機関の提供システム（スイッチング支援システムと広域機関システム）及び送配電側の託送システムと、クライアント証明書の登録をもってセキュアに接続される。この仕組みはすでに確立されており、多くの事業者が活用している。

ここでは特に、今後のアグリゲーター事業において必要とされるセキュリティ要件について見ていくことにする。

本セキュリティについては、経済産業省からガイドラインが示されており、電力事業におけるセキュリティガイドラインと併せて検討が必要となる。２０１９年12月に改定されている「エネルギー・リソース・アグリゲーション・ビジネスに関するサイバーセキュリティガイドライン Ver2.0」による、事業者に求められるセキュリティ指針について概観する。

本ガイドラインは、アグリゲーターが本ビジネスにおいて、送配電事業者のシステム（簡易指令システム）に対して、アグリゲーションコーディネーターまたはリソースアグリゲーター側のシステムが接続されることを想定している。また、本ビジネスに参画する各事業者に求められるサイバーセキュリティ対策を規定している。

最終的に電力の安定供給を担う送配電事業者に接続されるため、サイバーセキュリティについては、十分な配慮と対応が必要であるが、だからといって過剰な投資をする必要はないと考える。

この節に記したのは専門的な分野であり、詳細は専門書に委ねることにするが、概念だ

※２－９　ＡＰＩ（Application Programming Interface）
アプリケーションをプログラミングするためのインターフェースであり、外部アプリとコミュニケーションや連携ができる状態にするもの。

けご理解いただければ幸いである。

アグリゲーターがサービスを行う上での脅威・リスクについて比較検討し、4点を整理している。

以下は、ガイドラインの抜粋となる。

第一に、ERABシステムは、**サイバー・フィジカル・システム**[※2-10]であり、電力システムを運用する機器の物理的及び電気的特性と、その機器のサイバーによる制御を組み合わせたものである。サイバー・フィジカル・システムにおけるサイバーセキュリティの対策要件は、一般的なITシステムと大きく異なり、情報の保護だけでなく、物理システムが動作し続けるためのレジリエンスも確保する必要がある。

第二に、ERABにおいて想定される脅威・リスクは、各アグリゲーターが採り得るサービスモデルによって種類や発生可能性等が大きく異なる。ERABに参画する各事業者〈具体的には、送配電事業者、アグリゲーションコーディネーター、リソースアグリゲーター、小売電気事業者、エネルギーマネジメント事業者〈再生可能エネルギー発電事業者、需要家に設置される機器・設備メーカーを指す〉〉が、独自に脅威・リスクの評価を適切に実施することが必要である。

小売電気事業者がアグリゲーションコーディネーター、リソースアグリゲーターの役割に該当するサービスまで提供するようなモデルも考えられるが、こうした場合はアグリゲーションコーディネーター、リソースアグリゲーターの立場からも脅威・リスクを評価する必要がある。

第三に、ERAB全体への影響とその発生頻度という判断基準で対処優先順位が高いと判断される対策に対して、ERABに参画する各事業者間で共有することが必要である。

第四に、セキュリティ対策の検討においては、IoT推進コンソーシアム、経済産業省、総務省が共同で取りまとめた「IoTセキュリティガイドライン（平成28年7月）」等の他の類似の取組と十分に同期した取組とすることが、対策の実効性を強化するうえで重要である。

本セキュリティの要諦は、階層モデルとそのセキュリティであり、次のように整理され

※2−10　サイバー・フィジカル・システム（CPS：Cyber-Physical System）
フィジカルな現実空間でIoT等を含めたセンサーネットワークから発生する莫大なデータを、サイバー空間の高い演算能力により、該当データを数値化・定量的に分析し、事象を効率化し、より高度な社会インフラを実現することを目指すものと定義されている。

る。

ＥＲＡＢシステム構成は、送配電事業者のシステム（簡易指令システム）、小売電気事業者のシステム、アグリゲーションコーディネーターのシステム、リソースアグリゲーターのシステム、ＨＥＭＳ・ＢＥＭＳ等エネルギーマネジメントシステム、エネルギー機器と外部システムとのゲートウェイ（ＧＷ）、ＥＲＡＢ制御対象のエネルギー機器から構成され、この階層ごとにセキュリティの規定がされている。

階層について、少し補足するとＲ１―Ｒ５までの5階層になる。

Ｒ１：送配電事業者とアグリゲーター間（OpenADR 等のプロトコル）

Ｒ２：小売電気事業者とアグリゲーター間

Ｒ３：アグリゲーションコーディネーターとリソースアグリゲーター間

Ｒ４：リソースアグリゲーターとＥＭＳ間

Ｒ５：ＥＭＳへのゲートウェイと末端の設備機器（BACnet, ECHONET Lite 等）

ＥＲＡＢとしてのセキュリティの考え方は次の通りとなっている。

図18　ERABシステム全体図

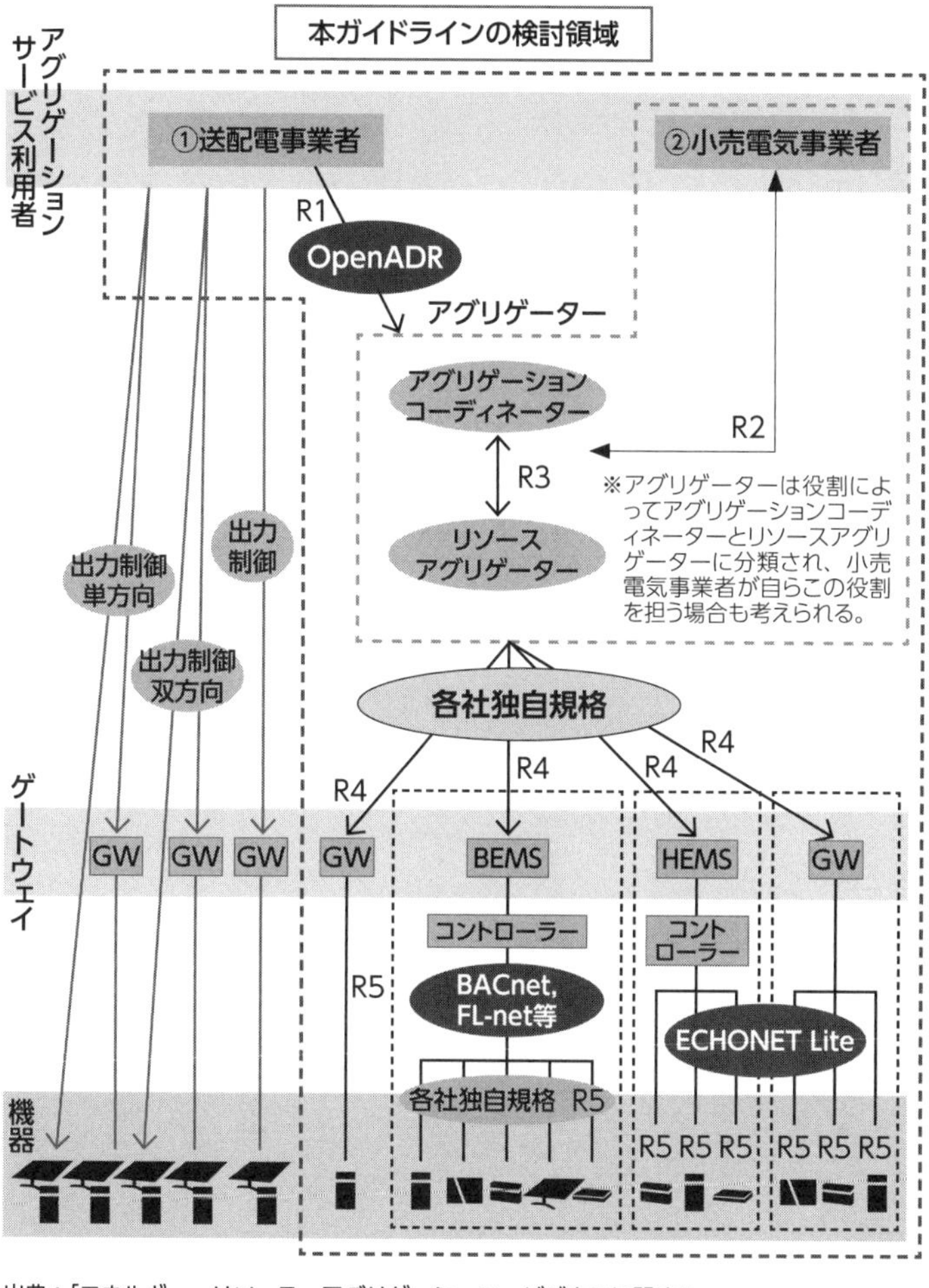

出典：「エネルギー・リソース・アグリゲーション・ビジネスに関する
サイバーセキュリティガイドライン Ver2.0」2019年12月改定

◎ERABシステムが留意すべき、基本方針の勧告・推奨内容

【勧告】

・ERABに参画する各事業者は、脆弱性対策情報の利用者への通知を行うこと。

・ERABに参画する各事業者は、脆弱性対策情報・脅威情報の共有の取組について定め、それについて協力すること。

【推奨】

・ERABシステムは、そのシステムが取り扱うハードウェアとそのハードウェアが保有するデータの機密性、完全性、可用性の3要件に留意したシステム設計を行うこと。

◎ERABシステムが想定すべき脅威についての推奨内容

【推奨】

・ERABシステムは、以下の観点を前提として対策の検討を進めること。

・標的型攻撃を想定すること。

・インシデント検知のためにシステムのログを取得すること。

・閉域網だから安全であるという考えに立脚しないこと。

・セキュリティ対策については、安全な状態が完全に達成されることはなく、継続的に

対策を改善すること。

◎ERABシステムのサービスレベルについての勧告内容

【勧告】

・ERABシステムにおいては、送配電事業者の簡易指令システムとアグリゲーションコーディネーターが保有するシステムは、相互接続が行われる。サイバー攻撃等の影響が系統ネットワークに拡散するリスク管理に留意すること。その際、各事業者及びその保有システムは以下の定義でのサービスレベル確保が求められる。

・容量市場、需給調整市場等における要求事項に準拠したサービスレベル

・簡易指令システムを有する事業者とそのシステム：「電力制御システムセキュリティガイドライン」に準拠したサービスレベル

・アグリゲーションコーディネーターとその保有するシステム：本ガイドラインに準拠したサービスレベル、加えて簡易指令システムとの直接的な接続部においては「電力制御システムセキュリティガイドライン」に準拠したサービスレベル、簡易指令システムを運用する送配電事業者が「電力制御システムセキュリティガイドライン」と「本ガイドライン」に基づき別途要件を定義したセキュリティ対策に準拠したサービスレベル

・リソースアグリゲーターとその保有するシステム：アグリゲーションコーディネーターと接続する場合は、本ガイドラインに準拠したサービスレベルに加えて、アグリゲーションコーディネーターが「本ガイドライン」に基づき別途要件を定義したセキュリティ対策に準拠したサービスレベル

ＥＲＡＢシステムにおけるシステム重要度の分類の勧告内容は次の通りである。

本ガイドラインにおいて、システム重要度の定義は、電力制御システムセキュリティガイドラインに基づき、以下に定めるところによる。ＥＲＡＢに参画する各事業者は、自らのシステムを以下に基づき、分類すること。

「重要度Ａ」とは、電力の安定供給等に与える影響が比較的大きいと考えられるシステムをいう。

「重要度Ｂ」とは、電力の安定供給等に与える影響が限定的なシステムをいう。

重要度Ａ　制御対象の需要規模が50万kW以上のシステム

重要度Ｂ　制御対象の需要規模が50万kW未満のシステム

ＥＲＡＢシステムにおけるサイバーセキュリティ対策の勧告においては、ＥＲＡＢに参画する各事業者は、ＥＲＡＢシステムでは、以下の手順を踏むこととなっており、ＳＴＥＰとして７ステップが定義されている。

ＳＴＥＰ１：対象とするＩｏＴ製品やサービスのシステムの全体構成及び責任分界点を明確化すること。
ＳＴＥＰ２：システムにおいて、保護すべき情報・機能・資産を明確化すること。
ＳＴＥＰ３：保護すべき情報・機能・資産に対して、想定される脅威を明確化すること。
ＳＴＥＰ４：脅威に対抗する対策の候補（ベストプラクティス）を明確化すること。
ＳＴＥＰ５：どの対策を実装するか、脅威レベルや被害レベル、コスト等を考慮して選定すること。
ＳＴＥＰ６：第三者による監査（認証を含む）や教育プログラム等によって勧告指定項目を中心にその実装を検証すること。
ＳＴＥＰ７：事故発生時の対応方法を設計・運用及び訓練すること。

取引規定の中に、アグリゲーションサービス事業者と送配電側のシステムとは、アグリ

図19　通信設備に関する要件

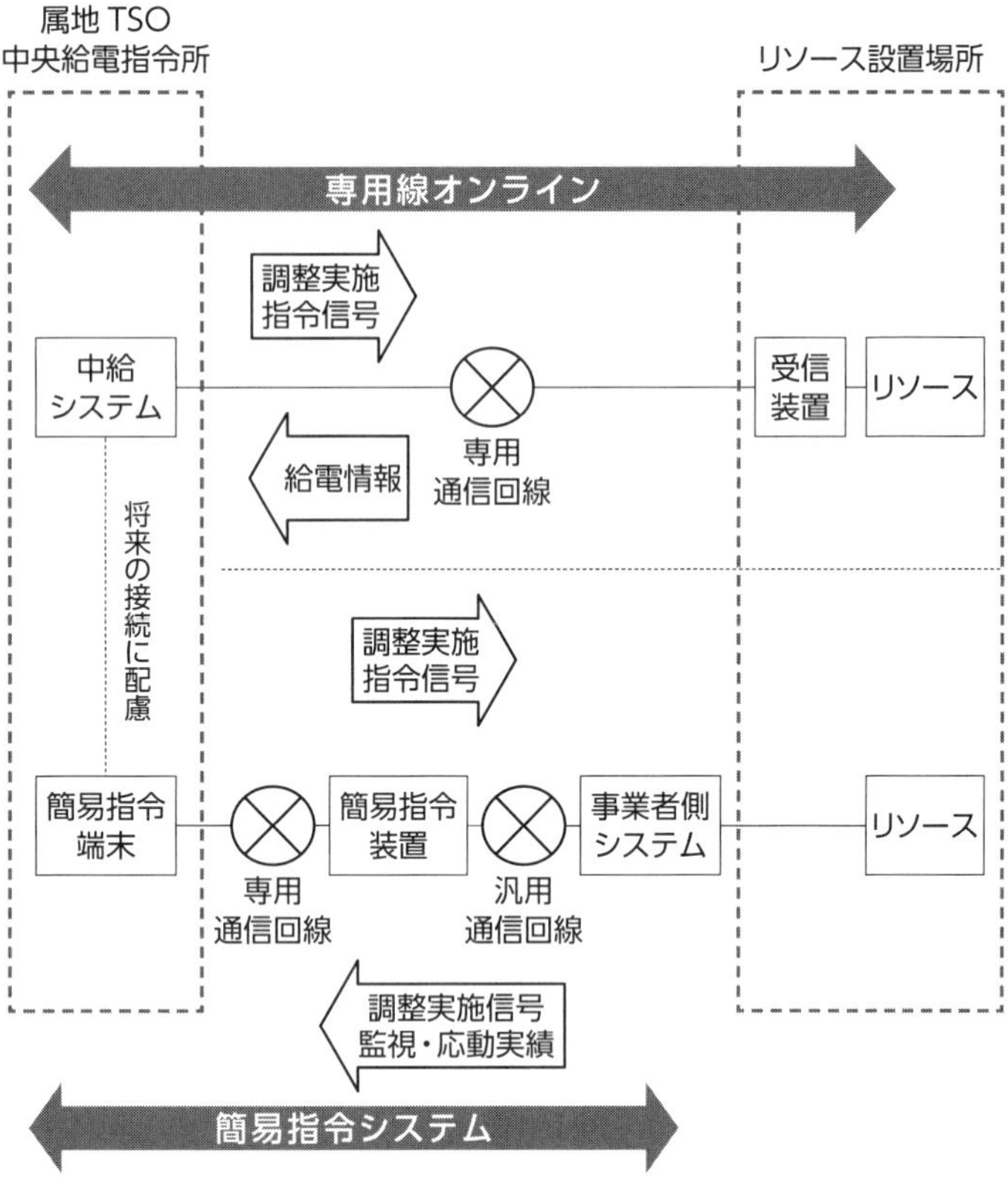

出典：需給調整市場 取引ガイド 2020年8月1日 第3版

ゲーションでコントロールする電源の規模で、専用線または簡易接続ネットワークで接続する必要があると明記されている。規定の記述抜粋は次の通りである。

◇専用線オンライン（中給システムとの接続）での接続

専用線オンラインで施設する場合、リソースの通信設備は以下の要件を満たす必要がある。

調整実施指令信号については、属地ＴＳＯからリソースの出力増減指令（接点信号）または出力調整指令（数値指令）を受信すること、給電情報である瞬時供出電力（発電リソースの場合：補正計測電力、需要リソースの場合：合計補正計測電力）を送信すること。

当該機能については、「電力制御システムセキュリティガイドライン」に準拠すること、また、属地ＴＳＯが定めるセキュリティ要件に準拠する必要があると規定されている。

◇簡易指令システムへの接続（簡易接続ネットワーク）について、リソースの通信設備は以下の要件を満たす必要がある。

〈受信信号〉

- 調整実施指令信号：属地TSOから、リソースの出力変化量指令を受信すること。
- 調整実施指令変更信号：属地TSOから、リソースの出力変化量指令の変更を受信すること。
- 調整実施指令取消信号：属地TSOから、リソースの出力変化量指令の取消を受信すること。

〈送信信号〉

- 調整実施信号：属地TSOからの調整実施指令信号に対する応答として、調整実施信号を通知すること。
- 瞬時供出電力：瞬時供出電力（発電リソースの場合：補正計測電力－発電計画電力、需要リソースの場合：合計基準値電力－合計補正計測電力－合計需要抑制計画電力）を属地TSOに原則、次の30分コマの終了時刻までに通知すること。

また、機能の要件としては、次を満たす必要がある。

- セキュリティ要件：エネルギー・リソース・アグリゲーション・ビジネスに関するサイバーセキュリティガイドライン
- 通信仕様：OpenADR 2.0b に準拠

セキュリティに関しては、どれだけコストと時間をかけて行っても100%にはならない性質のものである。全体の運用を検討した上で、過大なIT投資を行うのではなく、「どの対策を実装するか、脅威レベルや被害レベル、コスト等を考慮して選定し」、最小限必要な対策をシステム的に行い、ガイドラインに沿った仕組みにしておくことが肝要である。

通常の事業者としての情報漏洩《ろうえい》対策等は実施できている上での話であるが、現時点で追加の対策が必要になるケースは、アグリゲーター等の新サービス展開においてである。通常の小売電気事業等では、個人情報保護等の観点でライセンス事業者として実現するべきことがすでに実施されていれば、現状のままで問題はない。

今後の事業戦略で必要がある際に、範囲を見極め最小限の対応をすることになる。

P2P取引におけるブロックチェーンの有効性

電力×ブロックチェーンについては、まず再生可能エネルギーの提供サービスにおいて、利用が開始されている。

例としては、RE100におけるトラッキング（実際にはトレサビリティ）の必要性からブロックチェーンの記述を活用する動きがあり、いくつかの新電力が再生可能エネルギー提供メニューの仕組みで利用が開始されている。

実態は、現時点における再生可能エネルギーの発電量（余剰売電量を含む）は、送配電提供の場合は月次でしか提供されない。そのため、需要側とのマッチングは月次で行うことになり、リアルタイムでないことからマッチングデータのブロックチェーン化は事後処理になっている。

現状でも、発電量をリアルで取得することも可能であるが、その仕組みを利用するには、独自メーターの取り付けとデータを収集する仕組みを連携する必要があり、コスト面で見合わないため、リアルタイムで行っていないケースが多いのが現状である。

なお、発電量の速報値提供については、今後実施される方向で検討が進んでいるので、この点は今後改善が期待される。

各一般送配電事業者はシステム開発に向けて早急に詳細を検討するとしており、FIP制度が2022年度から導入される予定であることから、2022年度のできるだけ早期にデータ提供が開始できるよう準備を進めるとしている。

また、ブロックチェーンのサービスを利用するだけで、従量的なコストがかかるのも問題である。

送配電事業者が提供する速報値・確定値については、自由化以降、託送システムが更改されるタイミング等でトラブルは起こしているものの、基本的にはそのデータは正確なものであると認識して、電力業界における業務は成立している。従って、トレサビリティの要件があるとはいえ、そのデータの保証をするのにそもそもブロックチェーン化が必要なのかは議論の余地はある。

また、その仕組みを構築するために、相当額のＩＴ投資をしているとすると、なおさら疑問が残る。

データの管理として、送配電事業者が介在する方式は中央管理そのものであり、ブロックチェーン化の意義を問われる部分である。自営線の方式による独自のデータ管理も考えられるが、現時点では、送配電の仕組みを完全に中抜きするような仕組みの確立は、現実的に非常に困難である。採用されたとしても、設備投資とビジネスのバランスを考慮すると限定的なものになるであろうと考える。

さらに、ブロックチェーンの技術を支えるためのマイニングでは、技術革新が進んでいくとはいえ、それ自体で相当量の電力を消費することになる点も、留意する必要がある。

今後、国として再生可能エネルギーを普及させる上で、非化石証書のトラッキングの制

図20　需要側エネルギーリソースのポテンシャル

		足下	2020年	2030年	
創エネ設備	住宅用PV	760万kW		900万kW	**2,450万kW =大規模火力 約24基分**
	(うち余剰買取期間終了分)	—	(300万kW)	(>760万kW)	
	エネファーム	10.5万kW	98万kW	371万kW	
	コジェネ	1,020万kW	1,120万kW	1,320万kW	
DR・蓄エネ設備	HEMS	9万kW	2,100万kW	4,700万kW	10%が調整可能と仮定すると **1,320万kW =大規模火力 約13基分**
	BEMS	400万kW	1,600万kW	3,100万kW	
	FEMS	180万kW	530万kW	1,000万kW	
	EV／PHV	28万kW	450万kW	4,400万kW	

※ DRについては、あくまでアグリゲーションビジネスのポテンシャルとして試算。

出典：配電分野の高度化に資する新たな事業類型について 2019年5月10日
（次世代技術を活用した新たな電力プラットフォームの在り方研究会 事務局資料）

度化を含め実現していけば、個々の事業者が、それぞれ仕組みを作る意義がなくなることが想定される。制度設計等に期待をしたいところである。

一方、分散電源におけるプロシューマー間の取引（P2P）におけるブロックチェーンについては、決済を伴うものであれば、ブロックチェーンの意義があると考えており、今後の仕様統一化に期待したい。

P2Pの取引では、需要家Aの供給（逆潮流電力量）を、この取引に参加する別の需要家Bの消費電力量に割り当て、需要家Aが需要家Bに供給したことにする契約がベースとなるが、物理的にこの通りに電気が流れるわけではない。

どのように、またどのタイミングで電力

図21　P2P取引の位置付け

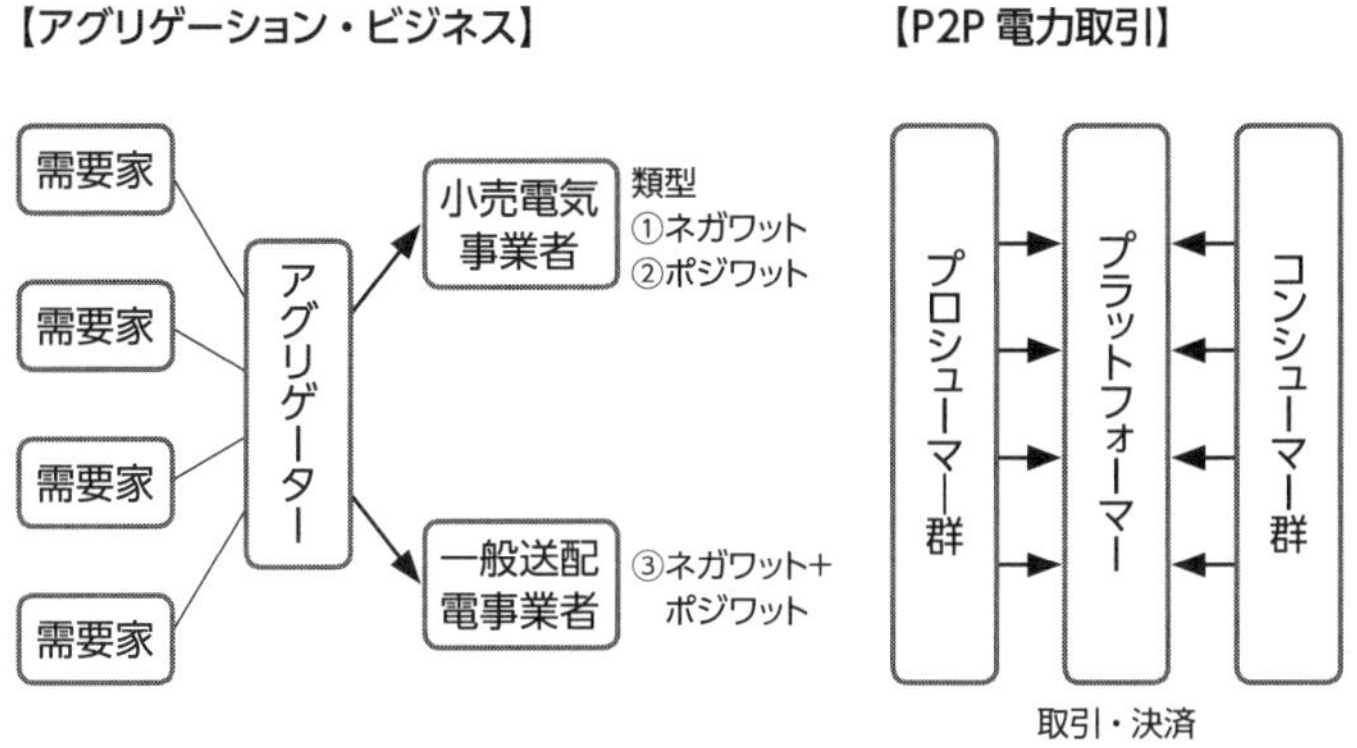

出典：配電分野の高度化に資する新たな事業類型について 2019年5月10日
（次世代技術を活用した新たな電力プラットフォームの在り方研究会 事務局資料）

量を割り当てるか、電力量の収集方法、そのデータの需要家への見える化について、現時点で共通仕様があるわけではなく、各社が独自の方法で行っているに過ぎない。

この仕組みを支えるシステムとしては、①需要と供給をマッチングさせる機能（アルゴリズム）、②プロシューマーが取引するためのサイト機能（モバイルアプリ等を含む）、③本サービスを管理する事業者の業務サイト機能、④決済機能が必要となる。

さらに、実際に主力の電力事業の一部としてこのサービスを行う場合は、ＣＩＳにおける顧客統合管理や、需給管理システムとの連携が必須となる。

電力×ブロックチェーンの分野は、制度

設計や仕様の統一化等、今後の動向を注視していく必要がある。自社の事業戦略に応じて徐々に追随するという段階であり、現時点で最新の仕組みを追いかけ、自社の仕組みとして、そのまま採用する必要は全くない。

今後、制度設計が進展し、仕様が統一化してくると、安価な外部サービスの選択肢も増えることが予想される。自社のシステムとスムーズに連携できるように考えていくのが、賢明な方向性である。

小売電気事業におけるＡＩ活用の可能性

近年、電力業界においてもＡＩ活用の動きが活発になってきており、今後もその動きは加速されると予想している。

発電所の効率アップや、故障予測等を含む発電事業や託送事業側でも活用・研究が進んでいるが、ここでは、小売電気事業者におけるＡＩ活用の今後の可能性について考える。

小売電気事業におけるＡＩ活用は、大量の電力データに関するケースが多く、①発電量予測、②需要予測等での活用や研究が進められている。

需給管理業務において、発電予測は、再生可能エネルギーの発電量予測の観点での活用があり、卒ＦＩＴ等における気象データ（日照データ等）との組み合わせによる予測精度向上で、ＡＩの技術が期待されている。

さらに、再生可能エネルギー活用が今後増加していく中で、ＶＰＰやＤＲのサービス展開も含めて、負荷制御や余剰電力の活用においても、電力量の最適化を図るために、期待される技術である。

需要予測も気象データ等が不安定な中、予測の精度を向上していくことは、今後のインバランス制度見直しのインパクト等を考慮すると、需給管理業務上は非常に重要な事項であり、事業継続の観点からも強化していきたい分野であることは間違いない。

容量市場におけるコストインパクトや需給調整市場開始によるインバランス料金見直し等を勘案しても、インバランスの最小化は事業継続上必須になってくる。

その上、インバランスを最小化できる仕組みが確立されてくると、インバランスに関しての保険等のサービスもコスト的にリーズブルなものになってくる可能性は大であり、その保険サービスとの組み合わせにより、ＢＧでの新サービス提供や単独事業者でも事業推進を安心してできる環境が確立されると予想される。

さらに、需要側の電力量の最適制御ということでは、ＩｏＴとの組み合わせによる家電の稼働時間の最適化や、需給管理と連動した料金メニューの自動レコメンド、自動メニュー変更のような需要家向けサービスの提供の場面でも、バックエンドでは、ＡＩのエンジンが活躍することになる。

また、需要家との接点での活用も、精度が向上すれば十分に適用できる可能性はある。それは、申し込みや本人確認の分野である。

ＡＩスピーカー（スマートスピーカー）で使われている音声認識や、スマホのロック解除にも搭載されている顔認識等は、利用できると考える。

日本における電力の完全自由化は、欧米と比較して遅れて実施された。その分、ＩＴとのシナジーを最大限発揮できる時期に本格的なスタートを切ることができた状況といえる。そのため最新のテクノロジーを活用したサービスを組み立てやすくなっている。

特に、電力事業における需要と供給のバランスを取るという商品サービス特性からすると、需要と発電の予測は非常に重要であり、その精緻化は必ず実現したい分野であることは間違いない。

直近では、需給管理の仕組みからＡＩを取り込んでいくのが現実的である。需要家向けサービスでの活用も今後拡大していくので、準備を進めていくことが肝要と考える。

現実的なアプローチとしては、外部のＡＩを利用したサービスとの連携を、ＡＰＩ等でスムーズにできるような業務システム基盤にしていくことである。それにより、スピード感を持って事業の戦略変更に対応できることになる。

ＡＩ活用は、業界動向や活用事例・実証実験等の状況を注視しながら、積極的に活用していきたいＩＴ分野となる。

変化するエネルギー業界と「エネルギー×ＩＴ」という観点で、小売電気事業に今後必要なシステム、アグリゲーターサービスやＶＰＰで必要な仕組み、そしてケースにより必要になるセキュリティ機能の追加、Ｐ２Ｐ取引でのブロックチェーンは必要なのかという内容について、概説を行ってきた。

肝心なのは、まず自社の事業戦略の原点を見つめ直し、変化をするために何が重要かを熟考した上で、ＩＴのパワーを上手く賢く使っていくことである。

第3章

エネルギー業界で生き残るための サービス戦略

この章では、今後激変する業界において生き残るためのヒントになりそうな差別化サービス戦略のあり方を、いくつかの観点で見ていくことにする。確実に実現できるかどうかは今後の制度設計や業界動向によって左右される部分が多いので、サービスを考えていく上でのヒントとしていただければ幸いである。

新たな需要家サービスへのアプローチ

電力業界では依然として、本当の意味での革新的な自由化らしい特徴を持った料金サービス体系は、少数派である。

今後は、従来のサービスより「料金が安い」というレベルを超えたサービス展開が多数開始されるであろうと想定している。

2019年頃から水面下で、さまざまなサービスが検討されており、需要家へのサービスの差別化はこれから拡大していくものと予想する。

共同購入サービスや料金メニューとしての定額サービス、プリペイドモデル、月替わりメニュー、ダイナミックプライシング等すでに行われているものもあるが、各種サービスが複数事業者から提示され、需要家にとって、さらに選択肢が増えるものと考える。

例えば共同購入サービスは、多くの参加者により購買力を高めることで、電力購入のコストを下げ、さらには再生可能エネルギーの消費を増やすことを目的に開始されている。

海外での事例も多く見られる。

米国の例では、再生可能エネルギー電力を調達する手段として、需要家である法人が発

図22　多様化する新電力の料金メニュー

再エネ特化型

・**再生可能エネルギーを100%**提供する料金メニュー。FIT電気での提供や、非化石証書を活用したものもある。トドック電力やネクストエナジー・アンド・リソースなどが提供。

発電所（者）特定型

・**ブロックチェーン**により発電所と需要家をマッチングさせて提供するもの、みんな電力が提供。
・需要家自らが小売事業者の取次店となり、発電者と取引するものもある。デジタルグリッドが提供。

市場連動型

・実際に**スポット市場価格**（コマごと）をもとに電気料金を計算するメニュー。自然電力が提供。

確定数量型

・**一定の使用量までは、定額制**の電気料金メニュー。F-Powerや日本瓦斯・Looopなどが提供。

EV向け割引

・**EV用充電設備**を設置しており、かつ**EVを所有**している者に対して通常のプランから割り引くもの。Looopなどが提供。

完全従量料金

・**基本料金を0円**とし、完全従量制の電気料金メニュー。LooopやSBパワー、TRENDEなどが提供。

一段階料金

・消費者にとってのわかりやすさを重視し、**一段階料金**のメニューを提供。オプテージやF-Powerなどが提供。

時間帯別料金

・家庭で電気をよく使用する**夜間の時間帯**（例えば、夜8時から翌朝7時まで）**で割安な料金**を設定。出光興産やシン・エナジー、みやまスマートエネルギーなどが提供。

特定時間帯無料

・**特定の時間帯**（例えば朝6時～8時）の電気料金（従量分）を無料にする。HTBエナジーが提供。

歩数連動割引

・**歩いた歩数に応じて電気料金を割り引く**サービス。イーレックスが提供。

（出所）各社ホームページ

出典：電力システム改革の進捗と委員会の取組について
2020年8月4日 電力・ガス取引監視等委員会

電事業者と電力購入契約（ＰＰＡ：Power Purchase Agreement）を締結する方法が多く見られ、「Virtual PPA」方式と呼ばれている。

通常、需要家である企業は、15年程度の契約を締結の上、発電した電力を固定価格で買い取る。また、欧州でも、オランダ、ベルギー、イギリス等では数百万世帯のレベルで共同購入事業を展開しているアイチューザーのような事業者がある。

振り返って、日本では、

図23　多様化する旧一般電気事業者の料金メニュー

水力特化型

・FIT制度を利用していない**水力発電所の電気100%を提供**する料金メニュー。東京電力EPなどが提供。

Amazonプライムセット

・**電気とAmazonプライムをまとめて契約**することにより、電気料金を割り引く料金メニュー。中部電力などが提供。

特定日・時間帯別料金

・**平日夜間及び休日全時間における料金を割安**で提供する料金メニュー。東北電力などが提供。

節電割引

・夏季及び冬季において、小売事業者が**あらかじめ指定する**最も需要が多い**時間帯の節電実施状況に応じて電気料金を割り引く**料金メニュー。北陸電力が提供。

移住者応援型

・九州に**Iターン、Jターン、Uターンなどで移住した需要家向けに割安**な電気料金を提供する料金メニュー。九州電力が提供。

出典：電力システム改革の進捗と委員会の取組について　2020年8月4日 電力・ガス取引監視等委員会

共同購入サービスについては、生活協同組合がサービスを開始しており、東京都も自治体としては初めてサービスを開始した（2019年12月から東京都が、2020年1月から大阪府吹田市がサービスを開始）。

東京都は再生可能エネルギーの利用拡大に向け、太陽光や風力発電などで作った電力の共同購入を始めた。2030年までに都内で使用する電力の30%程度をまかなう目標を立てており、東京都と共同購入事業展開事業者であるアイチューザーが提携し、共同購入事業を展開する。

アイチューザーは、電気の共同購入事業を2009年にオランダで開始し、一般家庭における太陽光設置に関わる共同購入事業等も展開している会社である。

共同購入事業者は、参加者を募り、見積もりを提示すると同時に、実際に電力を供給する小売電気事業者にも入札に参加してもらう方式をとる。最終的に成約報酬は、参画した小売電気事業者から事業主体であるアイチューザーに支払われるという仕組みである。

再生可能エネルギーが今後増加していく中、自治体が期待している状況もあって、自治体新電力や本サービスに参加する小売電気事業者等グループとしての事業者も増えていくことが予想される。

定額サービスについては、一部サービスを展開しているケースも見られるが、個人向けの斬新なサービスはこれからというのが現状だろう。定額のレベル設定はもちろんであるが、実際にかかった電力供給コストとの差額を、どのようなサービスと組み合わせて活用し、需要家メリットを出していくかが差別化のポイントになる。

一定の趣味嗜好を持った需要家に対しては、その範疇《はんちゅう》の特典を付与することにより、スイッチングのインセンティブを与えることになるが、一般受けするサービスを考案するとなると、難易度が上がる。

例えば、定額における余剰分は、蓄電したことにして仮想的に電気を貯めておき、その他サービスの定額補完として利用する。また、観点を変えて、宝くじを共同購入し、当選金が一定額になった際に配布する、提携したサブスクリプションサービスの原資として利用できる等の組み合わせによる新たなサービス展開をして、差別化をしていくことが必要である。

さらに、大事なポイントは、需要予測が十分でないフェーズでは、事業リスクをヘッジする意味で、解約時の精算条項を入れて、一定のレベルで収支が悪化しないような規約にしておくことである。

プリペイドモデルは、小売電気事業者からすると回収リスクを軽減できると同時に、電力事業におけるキャッシュフローの問題を解決できるモデルである。事業者側のメリットは大きいが、需要家へのサービス還元をいかに実現するかが差別化のポイントになる。

月替わりメニューは、事業者側の需給状況から判定した結果で、料金メニューを月替わりで変更していく方式であり、需給バランスが最適化する選択肢を複数準備して、需要家に選択してもらう。その際に、当然、事業者にとって都合のよいメニューを選択した需要家には、低価格での提供や、特典を厚めに付与することにより、需要家の選択行動をコントロールする。その結果、自社の需給バランスと事業コストの最適化を図っていくモデルとなる。自動的変更方式とスマホアプリや音声のアシスタンスサービス等の連携による簡易な操作でメニューを選択できるような仕組みが必要となる。それと同時に、需給管理システムと連携したメニューの自動生成・通知、収支予想の作成等、バックオフィス側の仕組みも同時に構築しておくことが必須となる。

ダイナミックプライシングは、すでに一部の事業者でサービスが開始されており、①30分のコマごとに価格を変動させる、②月次で市場平均価格を算定し、メニュー単価を洗い替える方式がある。現状では、②の方式が多いように感じている。
①については、料金計算エンジンの対応が追い付いておらず、一部のベンダーを除いては、標準パッケージのサービスの範囲では提供されていない。実施していたとしてもExcel等により、一時的な退避運用を行っている事業者が多いのが現状である。
再生可能エネルギーの料金メニュー等では、今後増えていく方式であると想定しており、事業収益の安定化を実現する方式として、認識しておくべきである。

この方式では、市場価格自動取得の仕組みを含めた単価の洗い替えと料金計算の自動化が最終的には必要となるため、システム更改や料金エンジン改修のタイミング等で、仕組みの見直しを実施するとよい。

本書全般に関わるテーマであるが、需要家サービスへのアプローチとして、電力データを活用し分析することで、需要家にさまざまなメリットを提供しようという話が国内でも進んでいる。

情報銀行の始動やグリッドデータバンク・ラボの設立等があり、電力データ×サービス

図24　スマートメーターデータ 活用ニーズ

課題（仮説）

・各々の家電の電力使用量状況を把握するには、新たなメーターが必要（コストがかかる）
・ディスアグリゲーション技術で、スマートメーターのデータから各々の家電の電力使用量状況を把握することが可能
・状況に応じて、家電を制御し、電力使用量を調整する

スマートメーターのデータからわかること（推計を含む）

・電力使用量情報　　・各々の家電設備の電力使用量情報

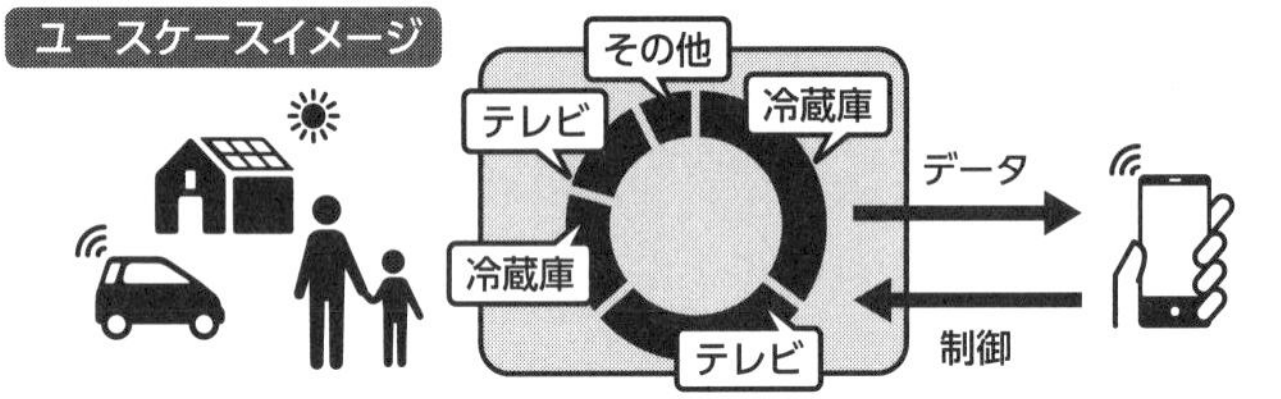

出典：次世代技術を活用した新たな電力プラットフォームの在り方研究会 事務局資料 2019年5月10日

化の動きが開始された。

グリッドデータバンク・ラボは、東京電力パワーグリッド、関西電力送配電、中部電力パワーグリッドとNTTデータの出資により設立され、現時点で他の一般送配電事業者7社を含め、多くの企業が参加している。送配電事業者は、電力データの統計処理結果等の提供を行い、NTTデータは、実証環境の構築及び提供・データ分析技術の提供を行う。

スマートメーターデータの電力量を活用し、分析することにより、需要家の行動を見える化し、さまざまなサービスに展開する取り組みが期待されている。

電力データと掛け合わせできる業態での活用、例えば、家電との組み合わせでは、

スマートメーターデータを**ディスアグリゲーション**[※3-1]することにより、使用状況を把握し、AIにより最適にコントロールする等のサービスである。

例えば、業種ごとには、運輸業では運送効率向上、建設業・家電メーカーではスマートホームの提案、銀行ではなりすまし防止、保険業では新保険メニューサービス、流通業・飲食業では出店計画最適化等、また、自治体では見守りサービス、空き家対策、防災関係計画での活用が考えられている。

最後に、余談であるが、現状の電気料金の請求方式についても言及しておく。

現状ほとんどの事業者は、料金計算を行うために使用量のデータである月間確定使用量を使用しており、回収のタイミングが最大2カ月後となっている。もちろん、収納代行事業者との請求タイミングを月複数回にする、収納方法を多様化する等によって、ある程度、回収のタイミングを前倒しにする工夫はできている。

特に、事業者として大量の件数を扱う可能性のある電灯サービスは一般的に分散検針となるため、基本的には電力の使用期間である1カ月は、通常の使用月で月またぎの使用期間となる。

※3-1　ディスアグリゲーション
分電盤に電流センサーを設置するだけで、家庭・事業所内の各機器の電力消費量を推定する技術。

このために、料金の回収が、最も遅いタイミングで翌々月末になるが、日毎30分電力量を用いた料金計算による請求に切り替えることにより、全ての需要家への請求タイミングを月初に統一でき、翌月末までには回収ができるといった、事業者の収支改善に寄与することができる。その上で、この事業者メリットを需要家に還元する料金メニューがあってもよいと考える。

もちろん、約款を変更し、かつ月間確定使用量での再計算と翌月の調整請求が必要になるが、今後諸々のサービス約款を変更していく際には、検討に値すると考える。

不動産事業とエネルギーサービスの今後

現在、不動産会社を窓口にした電力供給サービスはすでに多く展開されている。代理店・取次店モデルを構築している小売電気事業者を中心に、不動産事業を展開している事業者自身で電力小売ライセンスを取得して、事業を開始しているケースや、今後参入を検討している事業者が増えている。

総務省統計局のデータによると、2019年の日本国内における市区町村間移動者数は540万3465人となり、前年に比べ0・8％増、都道府県間移動者数は256万80

図25　国内における移動者数の推移（1954～2019年）

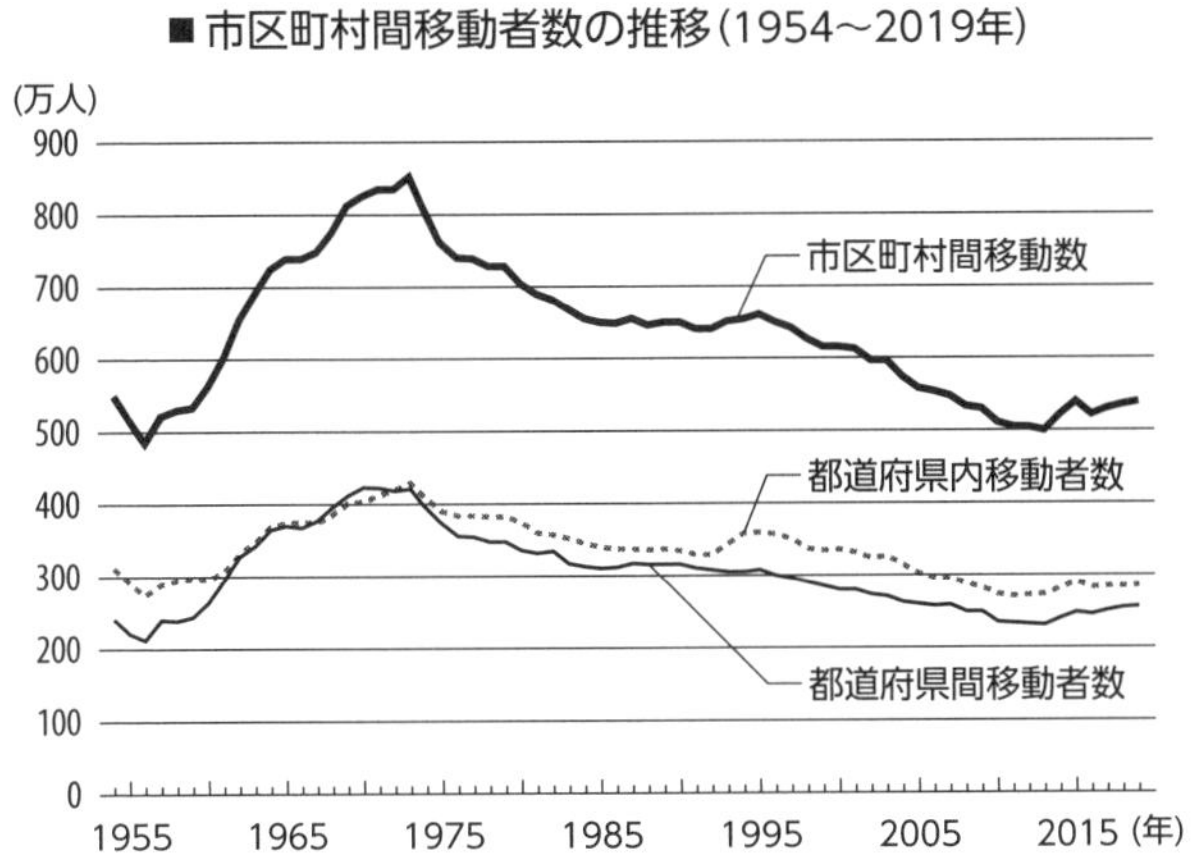

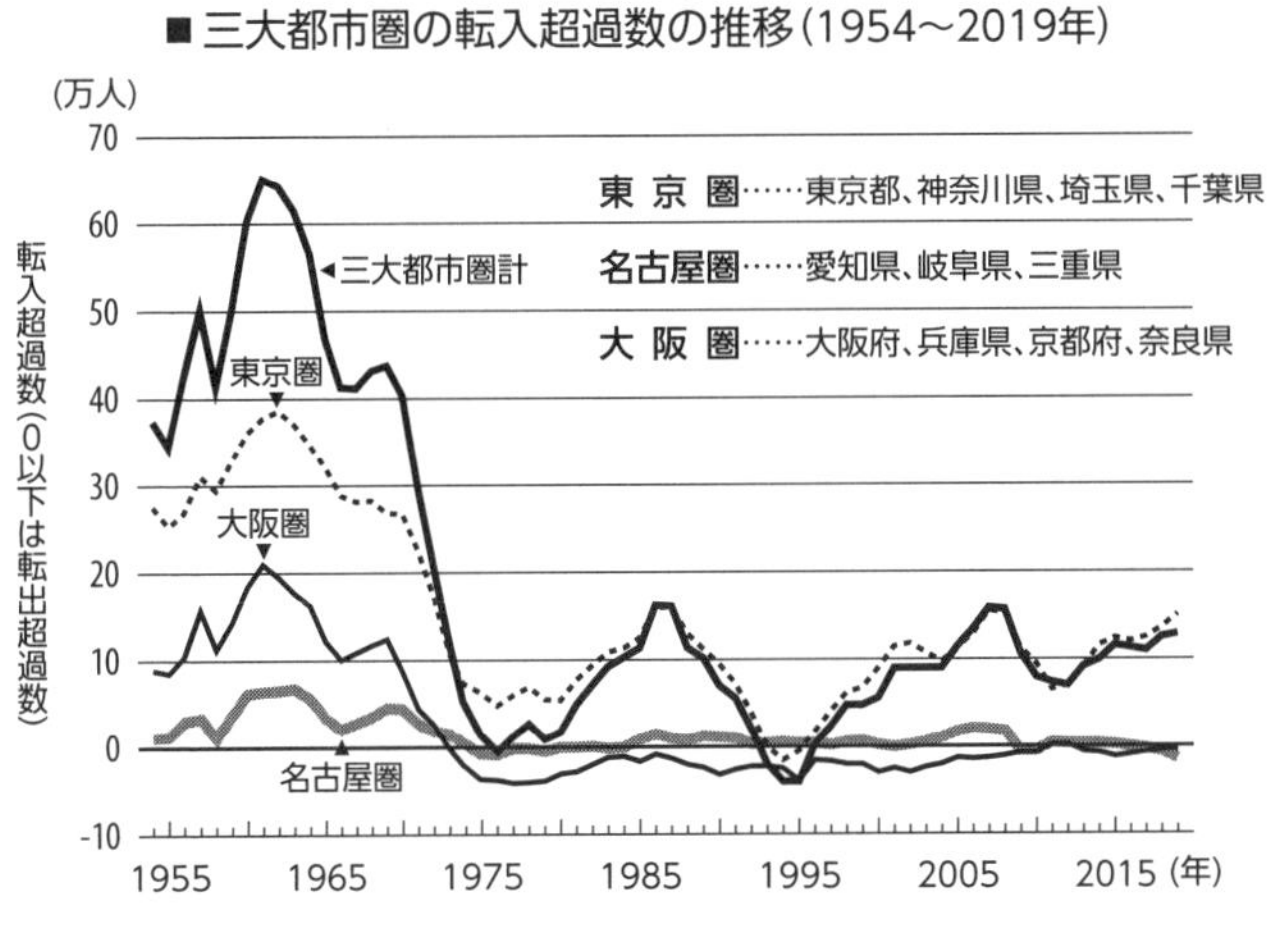

出典：総務省統計局データ

86人となり、前年に比べ1・3％増で、都道府県内移動者数は283万5379人となり、前年に比べ0・4％増加している。

また、男女、年齢階層別では、都道府県間移動者数として20～24歳の男性が最も多くなっている。

引越しを起点として、電気やガスの申し込みを受け付けることは、営業コストの最小化と申し込みの障壁が非常に低いという点で、有効なチャネルとなっている。代理・取次方式をとっている小売電気事業者も、多くは不動産窓口で契約件数を伸ばしている実態がある。

ただし、通常の仲介物件では、入居・退去の時点で、廃止・再点の処理を、不動産管理会社と入居者の間で繰り返し行う必要があり、業務負荷が高くなっている。

管理物件のみの場合は、上記の処理を行わず、電力契約の名義は物件管理会社とすることにより、入居・退去のタイミングでは、その期日のみを物件番号とともに管理する。その間の料金計算を確定値により計算し、管理会社が入居者に請求する方式で、事務処理の大幅効率化を図っており、有望なモデルとなっている。

また、仲介物件のケースでも、電力・ガス用の不動産物件管理システムを、ＣＩＳ（顧客管理システム）のフロントに立て、代理・取次店である不動産会社からの申し込み受付業務を、可能な限り簡素化し、業務効率の大幅改善を図っているケースも出てきている。

最近では、デザイナーズマンション等家具・家電付きの物件を専門に扱っているような事業者が、ＩｏＴのサービスを組み合わせたスマホアプリサービスを展開しており、入居・退去の申し込みがスマホで完結できるようなモデルも出現している。

また、主に防犯等の目的で個人宅でも利用でき、スマホで操作ができる室内ドローンなる製品も登場しており、内覧等の方法も今後大きく変わる可能性はある。

そのようなサービスに、電力・ガスやネットサービスの申し込みをバンドルして定額サービスにする、または入居・退去の申し込みを電力・ガスの管理システムに自動連携することにより、事務手続きのペーパーレスを実現しようとする動きもある。

不動産を起点としたモデルは、今後どのような進化があるであろうか。

引越し時の便利なサービスに進化する方向が考えられるが、それはワンストップサービスであると想定する。引越しに伴う諸々の手続きを簡素化して、一つのサービスサイトから全ての申し込みができるような仕組みである。

不動産の申し込みをベースに、①引越し運送、②不要物廃棄、③家電購入、④家具購入、⑤雑貨購入、⑥新聞等申し込み、⑦電気・ガス等申し込み、⑧引越しに伴う移動時の交通機関・宿泊申し込み、⑨決済サービス、⑩ネット等その他サービス申し込み、⑪その他サブスクリプションモデルの購入が、全て可能となるサービスである。

全て提携サービスであり、各サービスにはそれぞれ特典が付与される。決済サービスとの連携によるポイント・マイレージ付与、あるいは提携されたサブスクリプションサービス等のサービスが利用できる。

事業主体は、提携事業者から成功報酬として手数料を徴収し、プラットフォームを運営する形をとる。

需要家にとっては、非常に便利であり、メリットのあるサービスであるため、電気・ガスが他社との比較で安くなくても、利用する可能性は大である。

また、本ビジネスは、本質的にプラットフォームビジネスとなるため、事業者にとってもエネルギー供給以外での大きな収益源となる。

次に、ＩｏＴ不動産においては、戸建てのモデルを含め、屋内の全ての家電との連携が可能となり、ダイナミックプライシングやＤＲのサービスにより、需要側の制御をベースにした付随サービスが可能になる。

電力の市場価格や事業者のポジションにより、家電をコントロールし、需要をダイナミックに制御し、事業者と需要家のコストメリットを最大化するモデルである。

また、不動産モデルでは、太陽光や蓄電池、ＥＶ、エネファームといった分散自立型電源のコントロールを含めたサービス化が考えられるので非常に有力なモデルとなり得る。

この仕組みでは、末端のHEMSと需要予測・制御の仕組み、及び顧客管理・需給管理等のシステムのシームレスな連携はもとより、送配電事業者とのセキュアな通信環境を準備する等システム投資の必要があるが、テクノロジー側のハード面・ソフト面のコストが低減してくれれば、収益安定化のサービスの一つとなり得る。

サブスクリプションサービスの可能性

最近では、身の回りの衣食住やその周辺のサービスで、サブスクリプションモデルが増殖中である。サブスクリプションモデルは、日本では音楽配信サービスが起点となっており、ご存知の通り、物を所有せずに定額で利用する、あるいは定額でさまざまなサービスが必要なときに受けられるモデルである。

スマホを起点として、「コスパ」を実現し、「スマート」に利用できる点で、知らないうちに利用していたりするものでもあり、事業が拡大している。

ベビーカーやカメラ、車、飲食等々、サービスは多岐にわたって日常の生活の中に浸透してきている。例えば、車であれば、トヨタ自動車が、「KINTO」の名称で、201

8年12月から展開しているサブスクリプションサービスがある。

サービスの内容としては、保険やメンテナンス、税金などをパッケージ化した月額定額制となっている。

また、サブスクリプションサービスには、「サブスクストア」という一種の定期購入のようなサービスがあり、「サブスクリプションコマース」の機能を提供している。

定期通販とは言っても、届く商品が一定ではなく、消費者の趣味や嗜好に応じて、定期的に異なる商品が届けられるようなサービスになる。

矢野経済研究所が発表している2019年4月9日の調査結果のグラフでは、2019年度のサブスクリプションサービス国内市場規模は消費者支払額ベースで、6485億円程度であり、2020年度は前年度比10・7%増の7184億円、2023年度は8623億円と予測している。

サブスクリプションサービスとエネルギー小売事業を掛け合わせたサービスを考えた場合、どのようなサービスが考えられるであろうか。

本サービスを考える上で重要なポイントは、サブスクモデルで供給する電気と併せて、通常利用する電気は小売電気側のサービスとしてセットで供給していくことである。

車のサブスクリプションサービスであれば、EVを対象とした電気料金を含めた定額サ

図26　サブスクリプションサービスの国内市場規模予測
（8市場計）

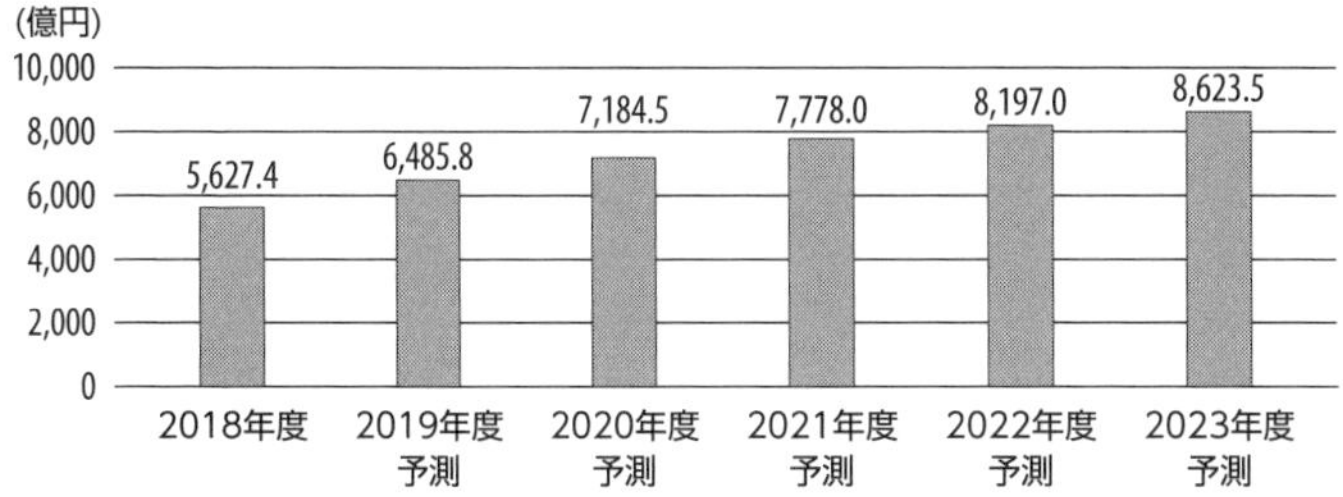

（出所）矢野経済研究所「サブスクリプションサービス市場に関する調査を実施（2018年）」（2019年4月9日発表）

（注）エンドユーザー（消費者）支払額ベース
市場規模は①ファッション系定期宅配、②ファッションサービス（但し①を除く）、③食品系定期宅配、④飲食サービス、⑤生活関連、⑥住居（シェアハウスやマンスリー系賃貸住宅は対象外）、⑦教育（但し通信教育は対象外）、⑧娯楽（月額定額で利用できる音楽と映像サービス）の8市場の合算値

出典：消費者庁　第35回インターネット消費者取引連絡会（2019年12月9日）

ービスが考えられるだろう。この場合は、損害保険と同様に事前申し込み時点での普段の走行距離をベースにした定額コースを複数準備し、更新時に電気の想定使用量を加味して次のコースに誘導する等の工夫は必要になるであろうが、需要家からすると本当の意味での定額になる。

また、今後需要家自身がプロシューマー化する観点から、電気料金の余剰想定分を仮想的に蓄電でき、一定期間利用できるようなモデルも考えられる。

例えば、野菜等の定期購入であれば、農地における**ソーラーシェアリング**[※3-2]で発電した電気をセットにして定額サービスするといったアイデアである。

さらに、家電のサブスクリプションモデ

ルでは、まさに1カ月の想定電気料金を含めて定額サービスにして、通常の電力供給とセット販売するようなモデルも想定できる。

こうしたサービスではないが、パナソニックが「安心バリュープラン」というサービスを打ち出している。3年もしくは5年後に新商品に買い替えることが条件となるが、商品ごとに既定されている買替保証金額（最終回分割支払金）を差し引いた金額を分割払いするクレジットプランが利用でき、買い替え時の費用負担を抑えることができる。

コンシューマー向けのサービスだけではなく、BtoBのサブスクリプションモデルも登場しており、さらなる市場拡大が予想されている。

SaaS等のクラウドサービスは、まさしくBtoBモデルで、近年拡大してきた経緯がある。

そのサービスを支えるIT先進企業は欧米が中心であるが、RE100等の再生可能エネルギー100％の事業推進を目指しており、将来的に再生可能エネルギー拡大に寄与するような電力サービスを展開する可能性もあるのではないかと考える。

BtoBのサービスの例は、コマツが提供している「スマートコンストラクション」というサービスであり、建設生産の効率化を一貫して支援するサービスである。

コマツは、屋内作業や夜間工事などでの活用を目的として、環境に優しい電気で稼働するバッテリー駆動式ミニショベルを2020年3月に市場投入すると発表しており、電気エネルギーとのセットのサブスクモデルも可能だと思われる。

サブスクリプションサービスとエネルギーサービスの組み合わせでは、エネルギー消費動向等のデータ分析・活用による新たなサービスの提示等も行えるため、先進的な需要家メリットを創出できる可能性がある。

サブスクリプションサービスは今後大きな市場になる可能性が高く、コンシューマーだけではなく、B to Bの分野でも拡大していくと予想されている。電力・ガス等は元々の発想は従量課金モデルではあるが、さまざまなサブスクサービスとエネルギー供給を組み合わせたサービスが提供される日は近いのではないか。

今後の動向を見ながら、自社の事業戦略に合致する場合は、サービスをいち早く市場投入できると、先行メリットは大きいと考える。

※3－2　ソーラーシェアリング
農地の上に太陽光パネルを設置し、農業と太陽光発電の両方を行う仕組みであり、売電や自家消費という収益面のメリットと作物の品質アップ等のメリットがある。

「ゲーミフィケーション×エネルギー」モデル

ゲーミフィケーションとは、ゲーム的な要素や考え方であるプレイや競争をゲーム以外のサービス等で応用し、コンシューマーのロイヤリティ向上に利用する取り組みである。

近年、電車等でスマホのゲームをやっている人を散見するが、2020年のスマホ普及台数は8000万台（総務省）を超えたと言われており、オンラインプラットフォームのゲーム市場規模は、1・2兆円規模（「ファミ通ゲーム白書」2019年）となっている。

現状で小売電気事業者が提供している需要家ポータルは、契約情報や請求情報、使用量の情報を参照できる、あるいは、契約変更や引越し、支払い方法の変更の申し込等ができたりするが、需要家が果たしてどれくらい参照しているかは甚《はなは》だ疑問が残る。

請求情報にしても、契約切り替え当初は参照するかもしれないが、全体的な傾向として口座振替やクレジットでの引き落としの収納が9割近くである現状から、毎月参照する可能性は低いというのが実態だろう。

需要家がプロシューマー化して、新たなサービスの下で、DRやP2P取引への参加を積極的に促すような仕組み構築が必要になったとき、需要家とスムーズにコミュニケーシ

図27　オンラインプラットフォーム市場規模

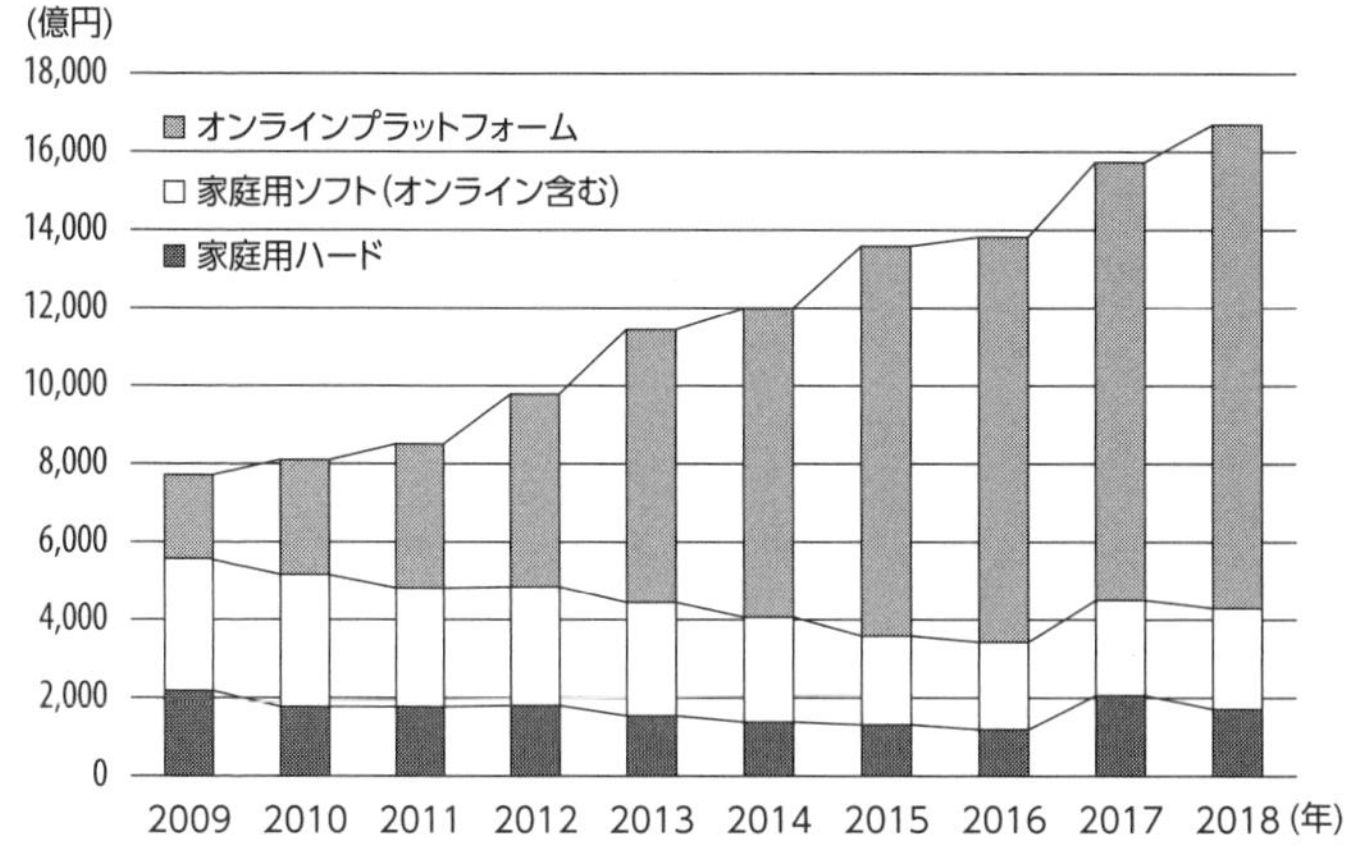

出典：「ファミ通ゲーム白書」2019

ヨンを取る方法は、スマホやスマートスピーカーといった簡単にアクセスできる入り口と、毎日定期的にそのサイトを参照するインセンティブが必要になってくる。

その際に、ゲーミフィケーションの要素を取り入れたサービスを検討するのも一案としてあり得るだろう。

節電の実績の見える化や、DRサービスに参加するために、スマホアプリにアクセスするだけではなく、特典をゲットしたり、ランキングを向上させたりするためのアクションを取ってもらえるようなゲーム感覚のサイト提供をしてはどうか。

このようなサイトを提供することで、サービスへの参加率がアップすると同時に、サイトへのアクセス数の向上が期待できる。アクセス数が向上していけば、新サービスの周知やコンバージョン率の向上もより期待できるのではないかと考える。もちろん、簡単ではないが、現状の需要家ポータルのあり方を変えることにより、サイトへのアクセス向上を促し、スピード感のある自社サービスのレコメンドを実現していくことは大事である。

また、スマホアプリで展開するゲームの中でゲットしたポイントが、電気料金に充当できる等のサービスがあっても面白いかもしれない。

ゲームアプリとの連携としては、2020年10月にミクシィがKDDIと共同でスマホ向けゲーム「モンスターストライク」とコラボした電力サービスを始めている。KDDIが提供する電気アプリとの連携で、毎月ゲーム内のアイテムを付与したり、電気料金に応じて追加の報酬がもらえたりするサービスを提供している。

今後展開が予想される「サービス×エネルギー」で創造されるさまざまなサービスは、需要家との接点としてスマホ等のチャネルを有効に活用することは当たり前になる。それと同時に、いかにそのサイトに定期的にログインし、コンテンツを参照してもらえるかという点が、新たなサービスの企画や展開に大きく影響することになる。ゲーム的な要素のあるサイト作りといった、より多くアクセスしてもらう仕組み作りは、重要なポイントになるであろう。

レコメンドサービスへの移行

ここで解説するレコメンドサービスは、需要家が能動的に選択するものと、需要家が申し込み時点で自動レコメンド・自動選択をチョイスする方式の双方のサービスを指している。

電力供給サービスに関して言えば、契約内容の変更に関わるレコメンドを実施して、需要家に選択を促すような仕組みとなる。電気料金のメニューの変更はもちろん、先述したサブスクリプションサービス等であれば、併せて定額の変更を促すようなものになる。

最適解としては、小売電気事業者の収支が改善され、かつ、需要家にもメリットがあるというレコメンドになるが、この仕組みについては、需給管理と収支管理シミュレーションから導き出されるデータを元に、レコメンドにつなげていくことになる。

電源調達計画・予測とメニューごとの需要計画・予測に基づくポジショニングの結果で、収支を最適化するための需要コントロールを促進するために、需要家にメニュー変更への誘導をするものである。

もちろん、需要家にとってもメリットがあることが大前提になるため、需要家ごとのロードカーブ実績と予測を踏まえてレコメンドすることになる。

本サービスは、ＩｏＴ家電を利用した稼働時間の自動制御やＰ２Ｐ取引、ＤＲの需要家サイドのアクションの誘導も含めたサービスになる可能性が高い。

毎週・毎月等のタイミングはあるが、自動化されたサービスでは毎日変更していくようなモデルも考えられる。例えば、平日と土日・祝日で大きく需要パターンが違う需要家には、それを加味したレコメンドを自動的に行う等の方法が考えられる。

感覚的には、毎月の変更についても、需要家の能動的な選択方式ではなく、自動化サービスのほうが向いているような気はするが、商品設計の時点でターゲット層の需要分析を十分に行い、サービスのあり方を検討することになる。

また、需要家とのレコメンドサービスの接点は、スマホやスマートスピーカー等の媒体が適しており、需要家がストレスなく自然体でサービスを享受できるようなシステムの仕組みを構築する必要がある。

レコメンドエンジンは、おそらく膨大なデータを分析することからＡＩの活用を行い、需給管理と収支管理シミュレーションと顧客管理におけるポータル機能を経由して、フロントのスマホやスマートスピーカーと連携する構図になる。

現時点で、この章で述べたようなレコメンドサービスは実現できていないが、今後のサービス差別化においては、当然、需要家に提示されるサービスの一つとなるであろう。

第4章

地域電力における今後の生き残り戦略

ここまでは、全ての事業者の参考になるようなサービス戦略立案のためのヒントを述べてきた。本章では、今後存在しつづける大義を持った有力な候補事業者であり、かつ、未だに増加傾向にある地域電力の今後の戦略に焦点を当てて解説していく。

地域電力の動向について

地域電力は、特定の地域、例えば市町村で、電力供給等のエネルギー事業を展開する事業者を指すが、①地方自治体が出資して事業を形成するケース、②地方の企業がエネルギー事業会社を設立するケース、③地域の名前を事業者名として使用しているが、実際はその地域とは関連性の希薄な首都圏の事業者がコントロールしているケース等、いくつかの形態に分類される。

また、地域電力と言いながら、首都圏も供給エリアとしている新電力会社も存在するのが実態である。

この章では、自治体がベースになっている新電力を中心に（ここでは、自治体新電力と呼称する）、その動向をお話しする。

まずは、自治体新電力の実態について、解説をする。

自治体新電力は、著者調べではあるが、別表の通りであり、2020年9月時点で全国に55事業者が存在する。地域別に見ると、北海道：1、東北：12、関東：10、北陸：1、中部：5、関西：5、中国：7、四国：1、九州：13となっており、著者自身もいくつか

図28　自治体新電力一覧

名称	自治体情報
株式会社 Karch	北海道上士幌町
久慈地域エネルギー株式会社	岩手県久慈市
宮古新電力株式会社	岩手県宮古市
合同会社北上新電力	岩手県北上市
陸前高田しみんエネルギー株式会社	岩手県陸前高田市
ローカルでんき株式会社	秋田県湯沢市
株式会社かづのパワー	秋田県鹿角市
株式会社かみでん里山公社	宮城県加美町
一般社団法人東松島みらいとし機構	宮城県東松島市
株式会社やまがた新電力	山形県
そうまＩグリッド合同会社	福島県相馬市
葛尾創生電力株式会社	福島県葛尾村
新潟スワンエナジー株式会社	新潟県新潟市
ふかやｅパワー株式会社	埼玉県深谷市
秩父新電力株式会社	埼玉県秩父市
株式会社ところざわ未来電力	埼玉県所沢市
株式会社中之条パワー	群馬県中之条町
株式会社おおた電力	群馬県太田市
株式会社成田香取エネルギー	千葉県成田市・香取市
株式会社 CHIBA むつざわエナジー	千葉県睦沢町
銚子電力株式会社	千葉県銚子市
東京エコサービス株式会社	東京都
公益財団法人東京都環境公社	東京都
加賀市総合サービス株式会社	石川県加賀市
丸紅伊那みらいでんき株式会社	長野県伊那市
株式会社浜松新電力	静岡県浜松市
スマートエナジー磐田株式会社	静岡県磐田市
株式会社岡崎さくら電力	愛知県岡崎市
松阪新電力株式会社	三重県松阪市

名称	自治体情報
こなんウルトラパワー 株式会社	滋賀県湖南市
亀岡ふるさとエナジー株式会社	京都府亀岡市
一般財団法人泉佐野電力	大阪府泉佐野市
いこま市民パワー株式会社	奈良県生駒市
株式会社三郷ひまわりエナジー	奈良県三郷町
株式会社とっとり市民電力	鳥取県鳥取市
ローカルエナジー株式会社	鳥取県米子市
南部だんだんエナジー株式会社	鳥取県南部町
奥出雲電力株式会社	島根県奥出雲町
福山未来エナジー株式会社	広島県福山市
東広島スマートエネルギー株式会社	広島県東広島市
うべ未来エネルギー株式会社	山口県宇部市
みよしエナジー株式会社	徳島県東みよし町
株式会社北九州パワー	福岡県北九州市
Coco テラスたがわ株式会社	福岡県田川市
ネイチャーエナジー小国株式会社	熊本県小国町
みやまスマートエネルギー株式会社	福岡県みやま市
株式会社ミナサポ	長崎県南島原市
株式会社西九州させぼパワーズ	長崎県佐世保市
株式会社ぶんごおおのエナジー	大分県豊後大野市
新電力おおいた株式会社	大分県由布市
まちづくりたけた株式会社	大分県竹田市
グリーンシティこばやし株式会社	宮崎県小林市
株式会社いちき串木野電力	鹿児島県いちき串木野市
おおすみ半島スマートエネルギー株式会社	鹿児島県肝付町
ひおき地域エネルギー株式会社	鹿児島県日置市

※著者作成

の自治体新電力を支援している。

自治体新電力は、今後も増加する傾向にあると考えており、関連省庁等を含め後押しする動きもあり、今後有望なモデルになる可能性は高い。

事業の中心になるのは、自治体以外に、地元金融機関、地元企業であり、加えて、旧一般電気事業者、都市ガス会社、大手新電力や、自治体新電力を支援する専業新電力、BGサービスを専業として行っている新電力等が関わっているケースが多い。また、再生可能エネルギー活用や地産地消を目指して立ち上げている事例が多い。

地元金融機関は、出資を含めた資金面での支援や、自らの施設で地元の電力を積極的に消費し、地産地消を推進したり、発電設備の立ち上げの支援をする等さまざまな支援を行っており、次のような事例が報告されている。

千葉銀行では、「むつざわスマートウェルネスタウン」に対してプロジェクトファイナンスを実行し、かつ、銀行本体が「CHIBAむつざわエナジー」に出資している。また、近郊の支店が、CHIBAむつざわエナジーから電力を購入している。

秋田県信用組合では、小水力発電事業において、開発にかかる研究開発費や運転資金等、金融面でサポートしている。地域金融機関の地元密着のエネルギー事業への取り組みについては、今後の地域金融機関における地方創生をサポートする一つのロールモデルになり、事例は増えていくと想定している。

最近の動向として注目しているのは、自由化当初は、積極的に関わってこなかった旧一般電気事業者や大手都市ガス会社が、自治体新電力の立ち上げを支援している点である。自治体における地域電力は、地元でお金を還流する仕組みも担っている。基本的に、自治体の施設はその新電力会社が供給することが前提になっているケースが多く、当然、旧一般電気事業者からするとエリアのシェアは一定量減ることになる。

この状況を少しでも改善するため、旧一般電気事業者は、需給管理業務や電力の卸供給を担うことで一定の役割を果たすと同時に、自社のポジションにおける供給量を少しでも多く維持する方向に動いていると想定される。

完全自由化後に一定量の自治体の入札案件を新電力に獲られたことから、旧一般電気事業者は2018年後半から相当な条件でリプレース攻勢を活発化した経緯がある。実際には複数年契約等の条件で、相当な値引きをしている実態があり、新電力は後退を余儀なくされている。この直近では、安定している市場価格をベースに、一部新電力が巻き返す動きもあるが、継続は難しいと見られる。

一方で、容量市場や需給調整市場の影響を考慮して、事業継続性の観点から地域電力を取次店化する動きを見せている旧一般電気事業者もあり、今後取次店に方向転換する事業者も出てくる可能性はある。

しかしながら、元々の事業コンセプトがしっかりしている、自由化後の事業もある程度軌道に乗っている、電力事業のノウハウも蓄積されているといった事業者は、提案を受けたとしても、リーズナブルな判断の下、今まで通り小売事業を継続するものと想定している。あるいは、別の大手新電力や自治体新電力を支援する専業新電力等がバックアップしている場合も同様である。

自治体新電力を支える電源調達や業務は、次のような形態に分類される。

また、別の新電力の取次業務も並行して行っているケースもある。

◇電源調達
① 自社で全て実施（ＪＥＰＸ、相対電源、常時バックアップ、再生可能エネルギーやゴミ発電、水力等の一定量の自社電源）
② ＢＧ側に委託
◇顧客管理・料金計算
① 自社で実施（ＣＩＳも自社で導入）
② ＢＧ側に委託

③　ＢＧ側に一部委託

◇需給管理

①　自社で実施（システムも自社で導入）

②　ＢＧ側に委託

電源調達や業務及びシステムを自営しているところでも、コスト面や業務改善が必要なケースは潜在的に多くあると思われる。事業の継続性の保持及び拡大をしていくために、事業改善を実施する現状を見直す時期にきている。

また、自営していない事業者でも、ＢＧ等への委託に関するコスト面の負担が当初の予想より大きくなっているところもあり、事業を継続していくために見直しを開始している事業者もある。

特に、２０１６年4月当初から、また、比較的早くから事業を立ち上げている事業者で、見直しを行ってきていない事業者においては、当時のＢＧやシステム等のサービスの選択肢が少なかった状況もあり、事業を支える業務やシステムに関わるコストが高止まりしているケースが多く、早急に改善を実施する必要がある。

電力の完全自由化から約5年が経過し、自由化も第二ステージに入っている。新電力を支えるサービスもコスト面やサービス面で選択肢が増えており、自治体新電力においても、生き残るための体力をつける意味で、今一度立ち止まって再考する時期にきている。特に、顧客管理や需給管理を自営している場合は、そのシステムコストを含め、業務改善を兼ねて見直すとよい。

自治体ベースの地域電力、あるいは地元資本ベースの地域電力は、今後、再生可能エネルギーをうまく活用したり、地域へのサービスを向上したりしながら事業継続を行い、他のエリアから侵攻してくるエネルギー事業者との差別化を図っていく必要がある。

地域と関連のない、必然性のない、また自治体とともに出資もしていないような事業者がコントロールしているケースでは、地元貢献や地元密着のインセンティブがなく、地元へのサービス向上は現状では望めない。

その事業者の収益がアップすれば、結果オーライのサポートになり、今後業界が激変していく中では、事業継続が厳しくなることは明白である。

地域サービスの一環として、電力のレジリエンス向上や、ＥＶ等の活用による地元の交通手段（乗合やカーシェアリング等）の確保と電力事業のシナジーの実現、地元のスーパーとの連携による移動販売、あるいは街の電気屋さんが実施しているような地域住民への貢献をベースにしたサービス連携等をしながら、少子高齢化への対応力を強化し、サービス向上を図っていくことになる。

次に、地域電力が目指すべきサービスモデルについて、参考になると思われる観点から解説をしていく。

電力レジリエンスと地域サービスの方向性

電力のレジリエンスについて検討が開始されている背景は、2018年夏以降に発生した豪雨・台風被害や北海道胆振《いぶり》東部地震、2019年の台風15号・19号による長期停電や送電線等への被害により、安定供給確保のための電力供給のインフラについて、レジリエンス強化の重要性が再認識されたことによる。

2019年の台風15号は、多くの地点で観測史上1位の最大瞬間風速を記録し、千葉県を中心とした広いエリアに甚大な被害を与え、関東エリアでは最大約93万戸の停電が発生した。特に、千葉県内での送配電網の被害が大きく、復旧作業に時間を要したことは記憶に新しい。

この状況を踏まえ、早期復旧を図る体制として、情報収集の高度化や連携方法、電源車派遣や送配電におけるエリアをまたぐ設備仕様の統一化、送配電網の強靭化が検討されると同時に、災害に強いインフラである地域側の分散グリッドについての必要性が明確化された。

送配電網の強靭化の観点での地域連携線の増強促進、電源の分散化における再生可能エネルギー等の分散電源の地域への導入推進が、電力レジリエンス強化では必要とされている。

災害復旧における協力体制は、旧一般電気事業者だけではなく、新電力にも求められるような議論が進められており、特に地域電力にとっては、今後重要なテーマになる。

2020年9月度に改定された「電力の小売営業に関する指針」では、災害時連携の観点から望ましい行為が規定され、次の内容が記載されている。

「昨今における災害の激甚化を鑑みれば、災害対応は、一般送配電事業者及び一般送配電事業者のグループの発電・小売電気事業者のみならず、エリアの電力供給を担う全ての電気事業者が協調して実施することが必要である。こうした災害時連携の観点から、例えば、一般送配電事業者から停電復旧が長期化するエリアの地方自治体からの要望に基づく要請を受けた場合に、ポータブル発電機、電動車等を保有する小売電気事業者は、余力の範囲内で、当該地方自治体へ貸出し等を行うことは、小売電気事業者の望ましい行為として位置づけられる」

図29　新しい託送料制度の全体像

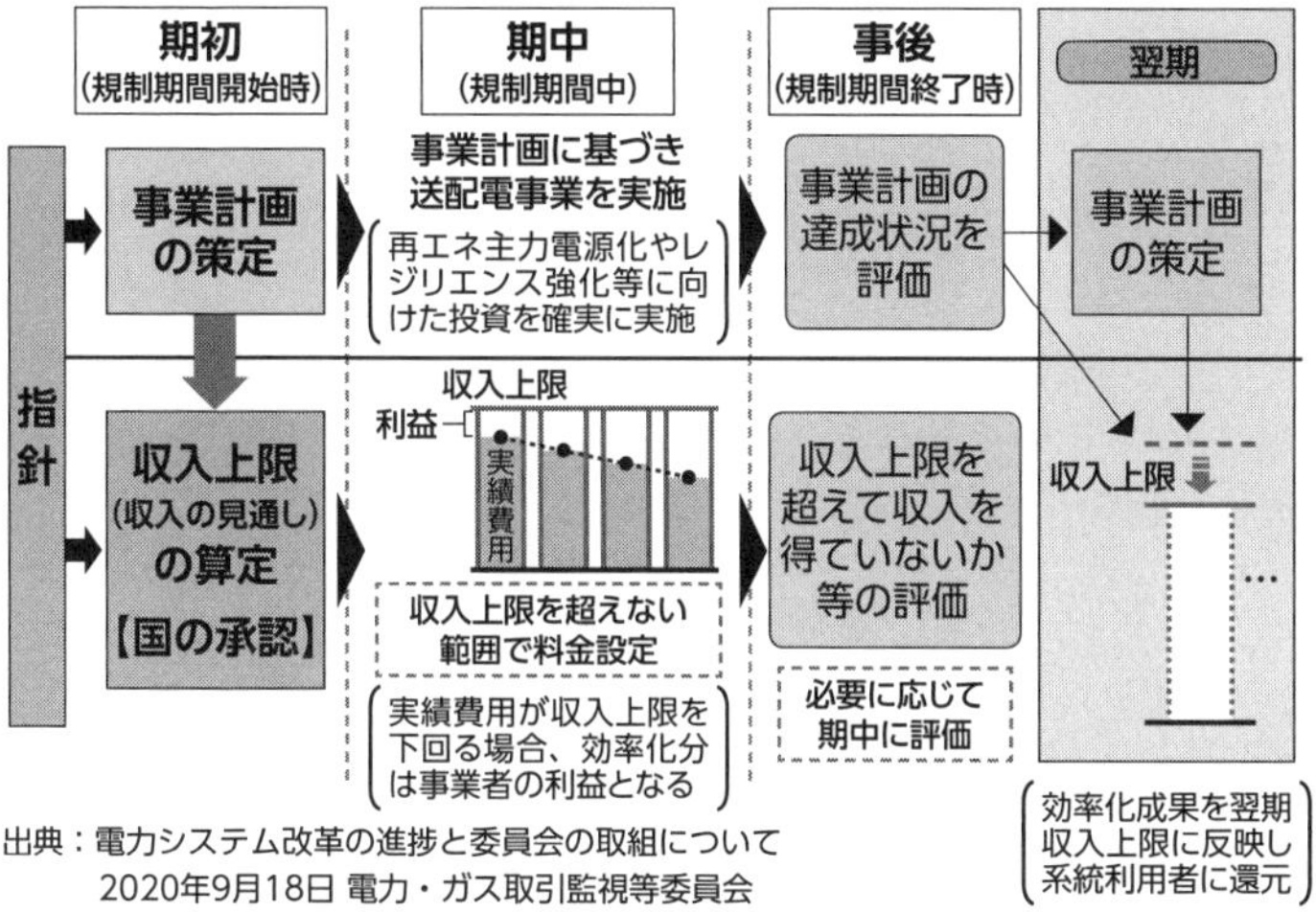

出典：電力システム改革の進捗と委員会の取組について
2020年9月18日 電力・ガス取引監視等委員会

さらに、送配電網の強化においては、託送制度改革を基本として、コスト効率化の観点を両立させるインセンティブ規制（レベニューキャップ）を追加し、送配電網強化に必要な投資の確保と、託送料金の抑制＝国民負担抑制を目指すことになっている。

すでに、電力レジリエンスのリファレンスとなる事例がある。それは、先述した千葉県での台風15号の災害時、千葉県睦沢町の「むつざわスマートウェルネスタウン」において、33戸の町営住宅施設と「つどいの郷」という地域の中核施設は、電気を継続利用ができたという事例である。

地域電力である「ＣＨＩＢＡむつざわエナジー」が、太陽光や地元の天然ガスによ

図30　託送料金制度見直しの方向性

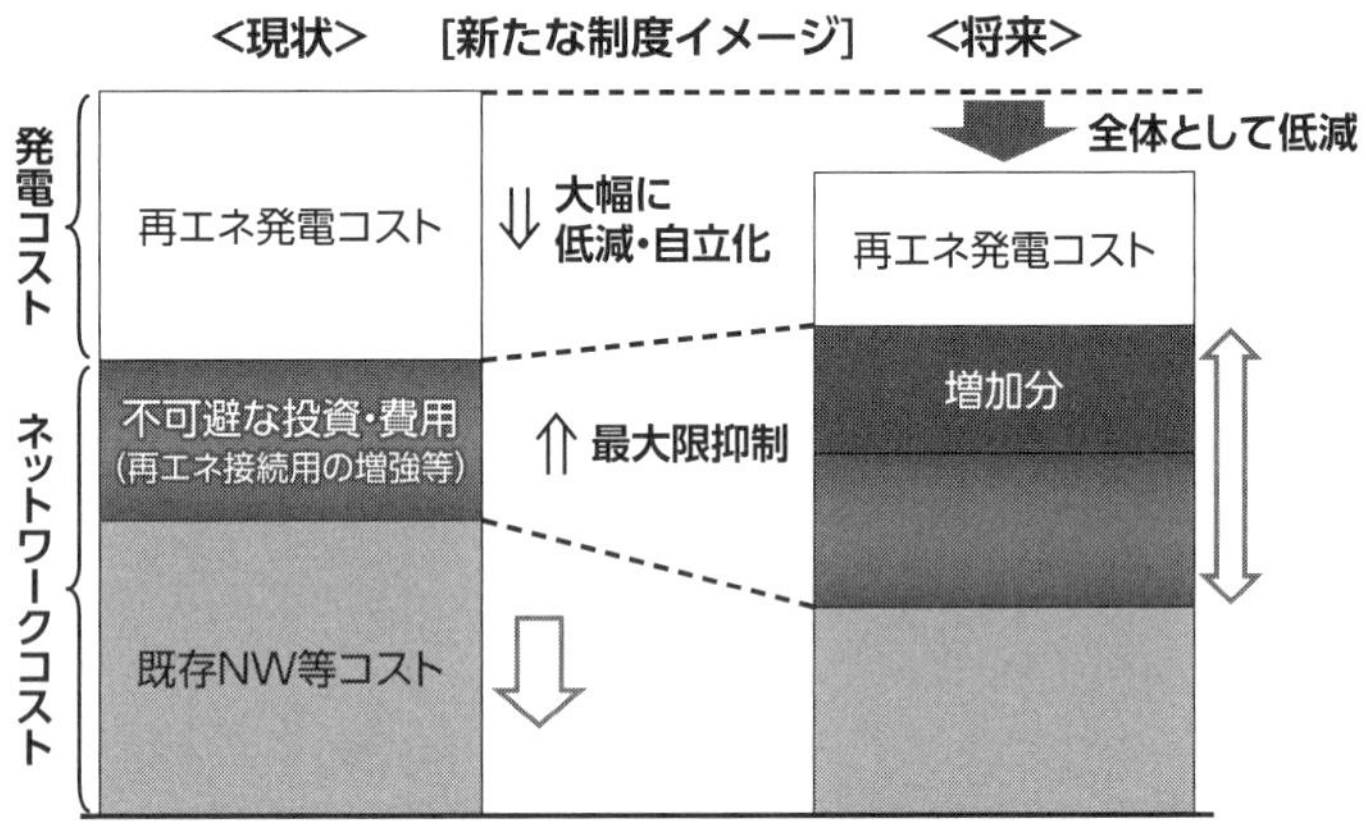

出典：持続可能な電力システム構築に向けた詳細設計 2020年7月20日 資源エネルギー庁

る自家発電設備で作った電力を、自前の地中自営線で供給するマイクログリッドが構築されていたことにより実現されたものである。

ＣＨＩＢＡむつざわエナジーは、睦沢町と地元企業・金融機関及びパシフィックパワーが設立した、地域振興のための新電力会社である。

地元の再生可能エネルギー等で発電した電力を、学校や町役場をはじめ、町内の公共施設、企業、一般家庭に向けて販売している。

温浴施設・レストランのある道の駅の設備は、地元住民らの集《つど》いの場であると同時に、緊急時には防災拠点として機能することになっている。

ＣＨＩＢＡむつざわエナジーが装備する発電設備は80kWのガスによるコジェネ２機と太陽光発電設備20kW等であり、道の駅と町営住宅に電気と熱を供給している。

ただし、この事例では、自営線の初期コストの負担がネックになる。自営線における託送費用で回収するとしても、15年はかかると言われており、その点が問題である。

災害に強い分散型グリッドの導入は、いくつかの方法が検討されており、今後制度設計が進められることで、具体的な道筋が示されていくと想定している。

その議論の中では、独立系統化の方策について、いくつかの方向性が出されている。

一つの方法は、山間部等の一部は、送配電網の維持に代わり、独立した遠隔地分散グリッドを形成、つまり平時から系統接続はせずに、一般送配電事業者を基本として、地元のインフラ事業者等が、系統運用と小売供給を一体的に行うという仕組みである。ただし、このグリッドが事故等で停電した場合はどうするか、そこに居住する需要家の選択肢がなくなる等の問題はある。

二つ目の方法は、平時は系統に接続しているが、有事の際は、系統から切り離し独立運用を行うマイクログリッドの構築である。

この方法では、自営線ではなく、一般送配電事業者の送配電網を利用して、新規参入者が系統運用を行うことも想定されている。

新規参入者には、ＩＴのパワーで設備運用や管理を効率化し、コスト削減することが期待される。

特定送配電事業者における供給地点ごとの届け出や自営線のコスト問題の解決、及び供給範囲を少し広げて面的な供給をする想定で配電事業者の位置付けが議論されている。

送配電インフラは、事業にとって非常に重要なファクターであり、慎重な議論が必要であるが、一方で現時点では今後分散型の地域グリッドが構築しやすいような制度になることも自由化推進の面では重要である。現時点では、足元のまずできることから着手していくことが、地域電力の役割になるのではないだろうか。

最終的に、地域マイクログリッドに到達するための道筋として、まずは、電力レジリエンスを向上させるために、①地元の再生可能エネルギー他電源の確保、②蓄電池やＥＶの整備、③需給管理体制の整備等を、少しずつ進めていくことになる。

現実的には、地域電力が供給している施設を災害時の拠点とし、その地点だけは通信等を含め災害時に最小限必要な電力供給ができるようにして、復旧するまでの間、住民へのサービスを行うような体制構築が今後求められてくる。

地域密着の差別化をしていくためにも、特に自治体新電力は積極的に取り組んでいくことになるであろう。

「空き家×エネルギーサービス」の可能性

総務省の2019年の統計によると、2018年10月現在における国内の総住宅数は6242万戸で、1988年からの30年間で2041万戸（48・6％）増加している。

一方で、総住宅数の内訳を居住世帯の有無で見ると、「居住世帯のある住宅」は5366万戸（86・0％）、空き家・建築中の住宅などの「居住世帯のない住宅」は876万戸（14・0％）となっている。そのうち空き家は846万戸であり、2013年と比較して、26万戸（3・2％）の増加となっている。

また、総住宅数に占める空き家の割合（空き家率）は13・6％と、2013年から0・1ポイント上昇し、過去最高となっている。

空き家数は一貫して増加が続いており、1988年からの30年間で、452万戸（114・7％）の増加となっている。

別荘などの「二次的住宅」を除くと、空き家数及び空き家率は、808万戸、12・9％となっている。

空き家率を都道府県別に見ると、図31（P137）の通り。最も高いのは、山梨県の

21・3％で、次いで和歌山県が20・3％、長野県が19・5％、徳島県が19・4％、高知県及び鹿児島県が18・9％となっている。

東京都も空き家率は10％を超えており、地方だけの問題ではなく、今後も日本全国で、空き家は増加していくと予測できる。これは、戸建てに限らず集合住宅でも起こってくる問題でもある。

この空き家問題も含め、地域電力がどのような関わりを持って地域に貢献していくのかは、人口減少等によるエリアにおける供給量の減少を少しでも抑制していく上で、考えていく必要のある課題となる。

withコロナにより、世の中では働き方が見直されており、出勤をせずに、自宅や遠隔地で仕事をするスタイルが定着しつつある。IT関連を含めベンチャー企業は、オフィスそのものを廃止する、大企業においてもサテライトオフィスで分散化する等の動きもある。

この流れで、そもそも出勤の必要がない、すでにオフィスがない、あるいは週1、2回の通勤で済む人たちが、現在住んでいる場所を離れ、遠隔地（地方）に転居する動きもある。自治体でも積極的な後押しが見られ、移住相談や物件の斡旋などを行う窓口を設置する、あるいはLINEなどで相談を受け付けているところもある。

図31　国内の空き家率

空き家率（二次的住宅を除く）――都道府県（平成25年、30年）

■空き家率の高い都道府県

	平成30年		平成25年
1	和歌山県	18.8%	16.5%
2	徳島県	18.6%	16.6%
3	鹿児島県	18.4%	16.5%
4	高知県	18.3%	16.8%
5	愛媛県	17.5%	16.9%
6	山梨県	17.4%	17.2%
6	香川県	17.4%	16.6%
8	山口県	17.3%	15.6%
9	大分県	15.8%	14.8%
10	栃木県	15.6%	14.7%

■空き家率の低い都道府県

	平成30年		平成25年
1	沖縄県	9.7%	9.8%
2	埼玉県	10.0%	10.6%
3	神奈川県	10.3%	10.6%
4	東京都	10.4%	10.9%
5	愛知県	11.0%	12.0%
6	宮城県	11.5%	9.1%
7	山形県	11.6%	10.1%
8	千葉県	11.8%	11.9%
9	滋賀県	11.9%	11.6%
10	京都府	12.3%	12.6%

空き家率――都道府県（平成25年、30年）

■空き家率の高い都道府県

	平成30年		平成25年
1	山梨県	21.3%	22.0%
2	和歌山県	20.3%	18.1%
3	長野県	19.5%	19.8%
4	徳島県	19.4%	17.5%
5	高知県	18.9%	17.8%
5	鹿児島県	18.9%	17.0%
7	愛媛県	18.1%	17.5%
8	香川県	18.0%	17.2%
9	山口県	17.6%	16.2%
10	栃木県	17.4%	16.3%

■空き家率の低い都道府県

	平成30年		平成25年
1	埼玉県	10.2%	10.9%
1	沖縄県	10.2%	10.4%
3	東京都	10.6%	11.1%
4	神奈川県	10.7%	11.2%
5	愛知県	11.2%	12.3%
6	宮城県	11.9%	9.4%
7	山形県	12.0%	10.7%
8	千葉県	12.6%	12.7%
9	福岡県	12.7%	12.7%
10	京都府	12.8%	13.3%

出典：総務省調べ

図32の通り、東京23区に住む20代のうち、地方移住に関心を持つ人は35・4％との内閣府の調査結果もある。

地域電力としては、自治体はもちろん、民間の空き家バンク等との連携を通じて、移住する需要家へのサービスモデルを組み立てることができたら、地域に大きく貢献できるのではないだろうか。

都会に暮らすオーナーにとっても、空き家を有効利用してもらうことにより、家が傷むことなく維持管理ができ、地元にも貢献できたり、家賃収入以外にもフィーが見込めたりするのであれば、選択肢の一つになり得るだろう。

まずは、空き家を有力な供給先として捉え、自ら物件の維持管理を担うことやシェアハウスとしての活用、田舎暮らしのサブスクレンタルサービス等に積極的に関わり、かつ、独自の料金メニューサービスを提供していく。

地域の防犯等も兼ね、定期的にドローンによる太陽光等の設備の点検サービスと組み合わせていくのも面白いだろう。

また、廃校や空き家を地域電力の拠点として利用し、そこにも電力供給する。可能であれば、再生可能エネルギーや蓄電池を設置したり、移動手段としてEVを利用したりすれば、先述したレジリエンス向上を実践することも可能ではないだろうか。

図32　新型コロナウイルス感染症の影響下における生活意識・行動の変化に関する調査

年代別では20歳代、地域別では東京都23区に住む者の地方移住への関心は高まっている。

(2020年6月21日公表)

質問 今回の感染症の影響下において、地方移住への関心に変化はありましたか。(三大都市圏居住者に質問)

■ 年代別

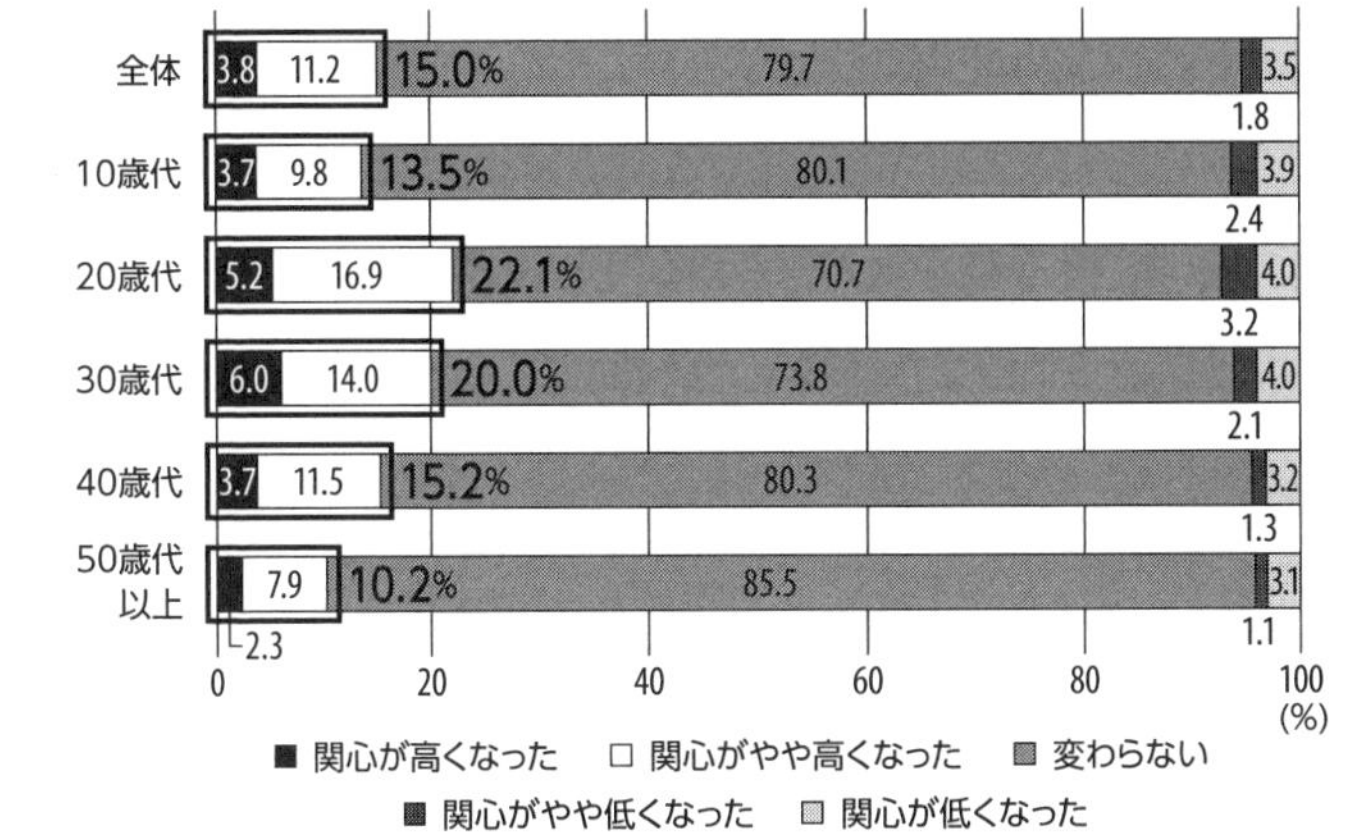

■ 地域別(20歳代)

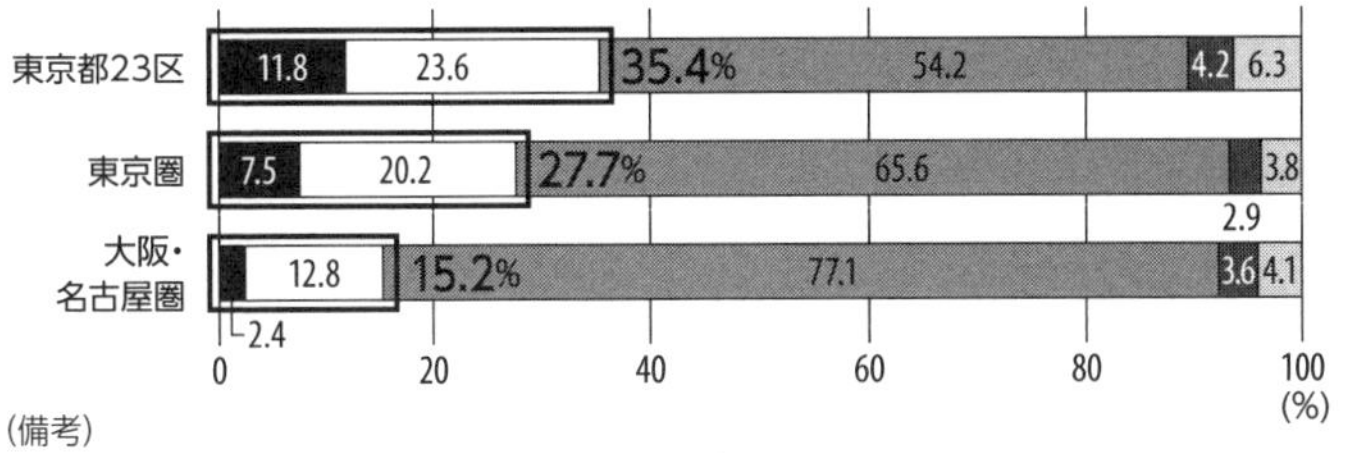

(備考)
三大都市圏とは、東京圏、名古屋圏、大阪圏の1都2府8県。
・名古屋圏：愛知県、三重県、岐阜県
・東京圏：東京都、埼玉県、千葉県、神奈川県
・大阪圏：大阪府、京都府、兵庫県、奈良県

出典：内閣府調査

さらに、ＰＰＡモデル事業者と連携し、自社の供給先である空き家に太陽光や蓄電池等の分散電源を設置、その電源を再度事業に活用していけば、オーナーに対してもよりメリットのある提案ができるのではないかと考える。

地方における空き家問題は今後より深刻になっていくが、有効利用することにより、防犯や災害対策等の観点でも地域貢献できるモデルになると考えており、そのメインプレイヤーとして、地域電力が活躍できると考えている。

次節からは、地域電力だからこそできるサービスモデルについて解説していく。

地域サービスとエネルギー事業との融合

地方においては、ほとんどのエリアで過疎化が進み、少子高齢化が加速している状況である。それぞれのエリアで、地域電力としてできるサービスがあるのではないかと考えている。

高齢化が進むと、自宅の維持管理、細かいことでは電球の取り替えや家電の買い替え等も含め、居住者自身では対応ができなくなる家庭が増加する。また、買い物をする場所が遠隔地にしかない、近くにあったとしてもコンビニしかない、あるいは移動手段がない等諸々の問題が顕在化してくる。

少し古いデータになるが、2014年商業統計のデータでは、小分類上の街の電気屋さんにあたる電気機械器具小売業（中古品を除く）は、全国での事業所数が2万9702カ所、従業者数は18万2879人となっている。

家電量販店の進出と地方の人口減少もあり、この数字より現時点では少なくなっていると想定するが、まだ地方では十分なニーズがあると考える。

テレビや雑誌でも紹介されているが、東京都町田市の「でんかのヤマグチ」は、量販店が多く進出しているエリアにあって、地域住民の大きな支持を得ている。

同社の最大の特徴は、データにより優良顧客を絞り込み、手厚いサービスを提供している点である。

電球1個の交換や、リモコン等家電の使い方の繰り返しの説明、重い物の移動、庭の水まき等家電に関係ないものまで全てサービスする徹底ぶりで、顧客の信頼を勝ち取っており、このベースを活用し、家電だけではなく、リフォーム等のサービスにも事業を拡大している。

大手量販店にはないサービスで差別化し、地域密着型での強みを発揮していることは特筆すべきリファレンスであり、後継者さえいれば事業を継続しながら十分戦っていける。

また、地方で問題になっているのが、買い物難民である。人口減少を受けてかつて存在した近所の店舗が廃業し、自動車で移動しないと買い物ができなくなり、近所にあったとしてもコンビニだけというエリアが抱える問題である。

地元のスーパーと共存共栄モデルを構築し、この問題を解決している例は、2012年に設立された「とくし丸」の移動スーパーである。

全国の個人事業主に参加の募集をかけて、北海道から沖縄県まで網羅する提携スーパーと協業の上、移動販売事業を展開している。

とくし丸では、提携する個人事業主を「販売パートナー」と呼び、とくし丸の車両を所有した上で、提携スーパーが取り扱う生鮮食品や生活雑貨等の移動販売を行うというモデルである。

提携スーパーの販売代行となるため、仕入れは「0（ゼロ）」であり、生鮮食品のロスを心配せずに販売でき、売れた分の粗利をシェアしてもらう仕組みとなっている。

高齢者も、家の近くまで移動販売車が来るため、徒歩で買い物に行ける。非常に便利なサービスであるため、今後益々ニーズは高くなると想定される。

地方では、公共交通機関での移動が不便で、自動車での移動が必須となっている。高齢者の場合、自動車運転免許自主返納等により、病院への通院等必ず発生する移動が自由に

図33　地域サービスとエネルギー事業との融合

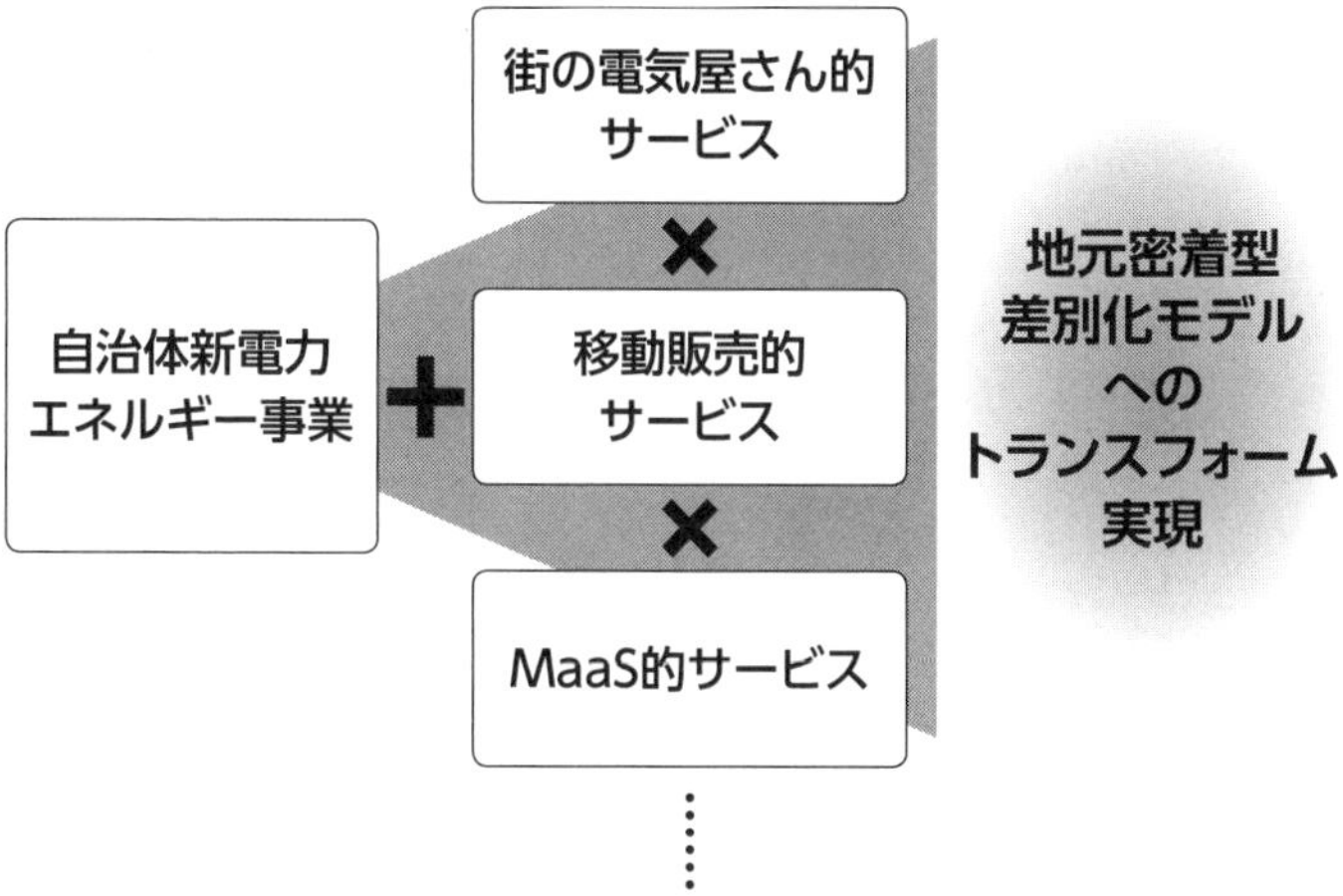

できなくなっている現実がある。タクシーの単独利用はコストの問題で、頻繁《ひんぱん》には使えないという事情もある。

地元の再生可能エネルギーで充電したＥＶを活用したオンデマンドの乗合サービス等で移動の問題を解決し、かつ、買い物代行や宅配等のサービスを組み合わせていくことにより、地元の住民、特に高齢者世帯の支持を集めることは可能であると考える。

地元の事業者における相乗りサービス等の提供が求められており、ＭａａＳ的なサービスを特定地域で提供することができれば、地元住民の利用を促す大きなインセンティブにはなるであろう。

「ＭａａＳ×エネルギー」の可能性は第５

章で詳しく解説するが、地域電力による事業、またはＭａａＳへの参加事業者とのビジネス連携と、ＥＶ活用の組み合わせでの事業展開については、可能性があると考える。

地域電力における地域サービスとの連携は、生き残っている地元の電気屋さんや、とくし丸のようなサービスに参画しているような個人事業主、あるいはＭａａＳ系のサービスを展開する事業者を、分かりやすく言えばフロントの窓口として取次店や代理店に位置付け、電気料金の粗利から手数料を支払うようなモデルを想定している。

普段から需要家と接しているパートナーを窓口にする意味は、需要家のスイッチングのハードルを下げることにある。地方は、首都圏と比較して、未だに旧一般電気事業者のシェアが高い状態である。都市ガス会社や通信大手のメイン市場が首都圏ということもあるが、逆に地方は需要が都市圏よりも減少しているものの競合が少なく、スイッチングできるマーケットが多く残っている。

このような仕組み・体制が構築できれば、提携パートナーとの地域密着、地域分散型のエネルギー販売の強力なモデルが確立することになる。

水道事業等のサービス統合の具現性

2018年に成立した改正水道法は、水道の事業の民営化・効率化を促すものである。水道施設の所有権を自治体が持ったまま、運営権を民間に売却する「コンセッション方式」を導入できるようになった。

しかしながら、人口減等で使用量が減り、かつ、老朽化した水道管・浄水場における設備の更新費用が大きくのしかかる事業を今後どうするのかということが、自治体が抱える悩みである。水道事業は、原則として市町村が運用・経営するとされてきたが、その事業者数は減少し続けている。

この問題の解決策として、広域連携方式がある。人材や設備を含む経営資源の効率化を図ると同時に、サービス水準の格差解消・料金収入の安定化等大きな効果が期待されている。

広域連携にはさまざまな方式があり、①事業統合、②経営の一体化、③業務共同化等がある。

香川県では、県下の市町の水道事業を統合する事業統合モデル（香川県広域水道企業団）を実現した。また、大阪広域水道企業団では、組織・管理は一体化しているが、事業は別形態で、料金体系も別という経営を実現している。

神奈川県下では、県内の5事業者が、施設管理・維持管理、総務系事務の共同実施・共同委託を行っており、熊本県荒尾市と福岡県大牟田《おおむた》市では浄水場建設を共同で実施する等業務共同化を推進している。

上水道、下水道、工業用水の3事業を対象とするコンセッション方式を全国で初めて実現した宮城県では2022年4月から導入する方針であり、人口減や施設の老朽化が進む中、民間ノウハウでコストを削減し、将来的な水道料金の値上げの抑制を実現する。

また、広域連携は、①垂直統合、②水平統合、③弱者救済に分かれる。①は用水供給事業と受水末端事業を統合する、②は複数の水道事業を統合する、③は中核になる事業者が周辺における小規模事業者を吸収統合する、といった形態に分類される。

官民連携でのコンセッション方式では、海外での事例を踏まえ、水質のレベル保持や水道料金の高騰防止、業務内容モニタリング等を行う必要があり、水道法による対応策が提示されている。現状では、自治体新電力の水道事業への関わりは、請求業務の統合（電気の契約者のみ）等を実現しているが、海外におけるシュタットベルケのような取り組みは少ないのが現状である。

福岡県みやま市における「みやまスマートエネルギー」は、シュタットベルケの仕組みを日本版に発展させたモデルと言われている。

図34　宮城県における3事業コンセッション方式

みやぎ型管理運営方式の市町村展開のイメージ

「官民連携」と「広域連携」を主体的に組み合わせた発展的連携

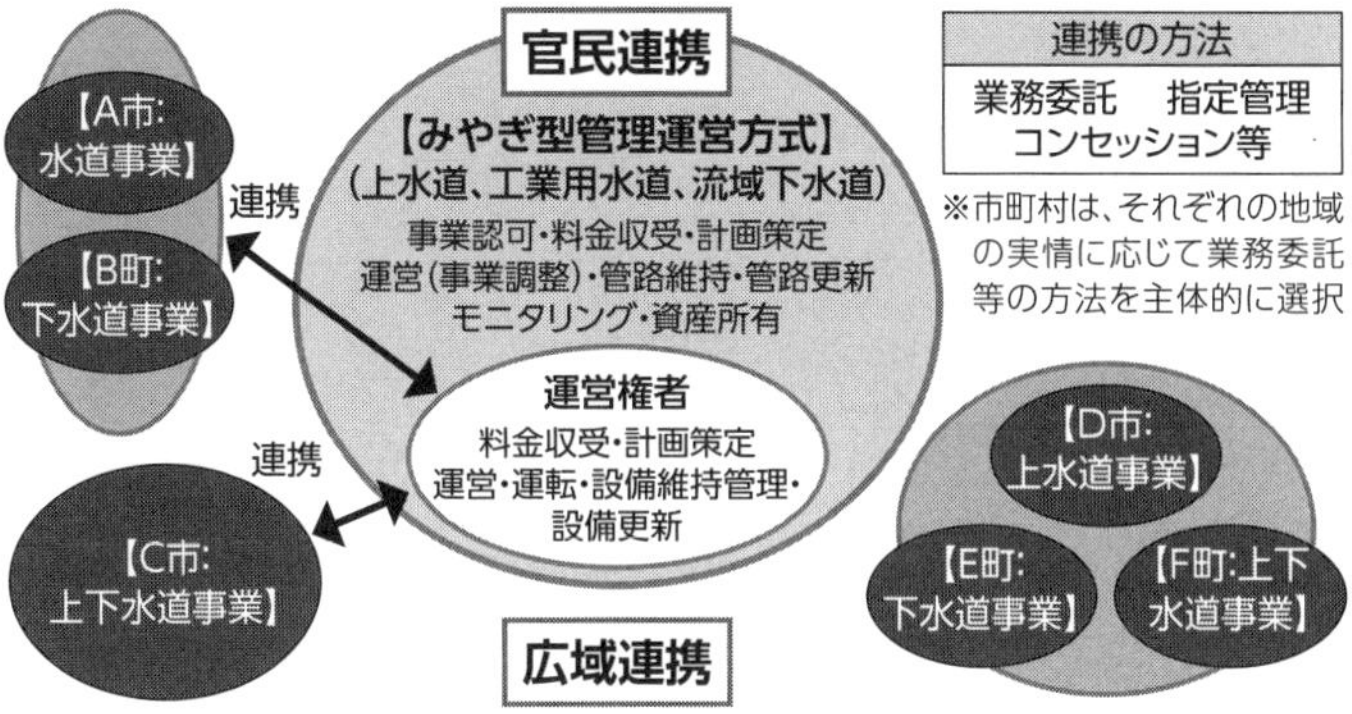

出典：みやぎ型管理運営方式『Q&A』【2019年11月18日版】宮城県企業局水道経営課

シュタットベルケは、日本でも完全自由化当初から注目されてきた海外の事業モデルであるが、ドイツにおける「シュタットベルケ」は、自治体出資の公社のことであり、19世紀後半から、ガス供給や上下水道、電力事業、公共交通サービス等の幅広いサービスを提供してきている。

電力については、２０００年頃からは、電力自由化やＦＩＴ制度導入等の変革とともに、再生可能エネルギーを含め事業の大きな軸となった。官民連携における展開の中では、広域化と併せて、地域電力がプレイヤーとして一定の役割を果たすことができるのではないだろうか。

電力を含むエネルギー事業も、地域電力は最終的に広域連携し、ＢＧ方式ではないグルーピングにより、業務の共同化・電源調達を含む制度対応コストの平準化等を推進していく可能性も大きいと考える。

この広域化の動きをシンクロナイズしていけば、広域連携におけるインフラサポートモデルの具現化に近づくのではないかと考えている。

また、インフラ全般を担うサービス提供におけるスマートシティをベースとした事業では、需要家のデータ蓄積と活用により、地域分散型の差別化サービスの展開が可能になる。

自治体で継続検討をしてきた水道事業の業務統合等について、地域電力は、その機能を担うプレイヤーである可能性を持っていることは間違いない。

第5章

エネルギー事業の将来像と賢者のトランスフォーメーション

本章では、ＭａａＳやマイクログリッドを含め、将来的なエネルギー事業を概観する。業界再編成に備えるため、また、生き残るために道標となる方程式を示すことにする。

日本における需要動向から見る事業戦略

２０２０年の『エネルギー白書』によると、２０１１年3月11日に発生した東日本大震災で起こった東京電力福島第一原子力発電所事故を発端に電力需給が逼迫《ひっぱく》したため、発令された電力使用制限令や節電目標の設定で、２０１１年度の日本の電力需要は前年度より３・７％減少し、その減少傾向は２０１５年度まで継続した。

２０１７年度は前年度比増となったが、２０１８年度に再び前年度比マイナス１・９％の９４５７億ｋＷｈとなった。

その後も、需要は減少傾向にあり、２０１９年では、およそ８７７１億ｋＷｈのレベルまで下がっている。

省エネにおけるハード面と節電意識向上、また人口減少等、さらにアフターコロナの影響におけるボディブローにより、今後においても需要は減少していくと予想される。

需要が減少していく中、事業者としてはどのようなモデルを組み立て、生き残っていけばよいであろうか。事業の変革を伴うサービスや事業展開の工夫を行い、事業収益を継続的に確保できる仕組みを、差別化した形で、プロシューマー化する需要家または業態内の

図35　国内における電力需要

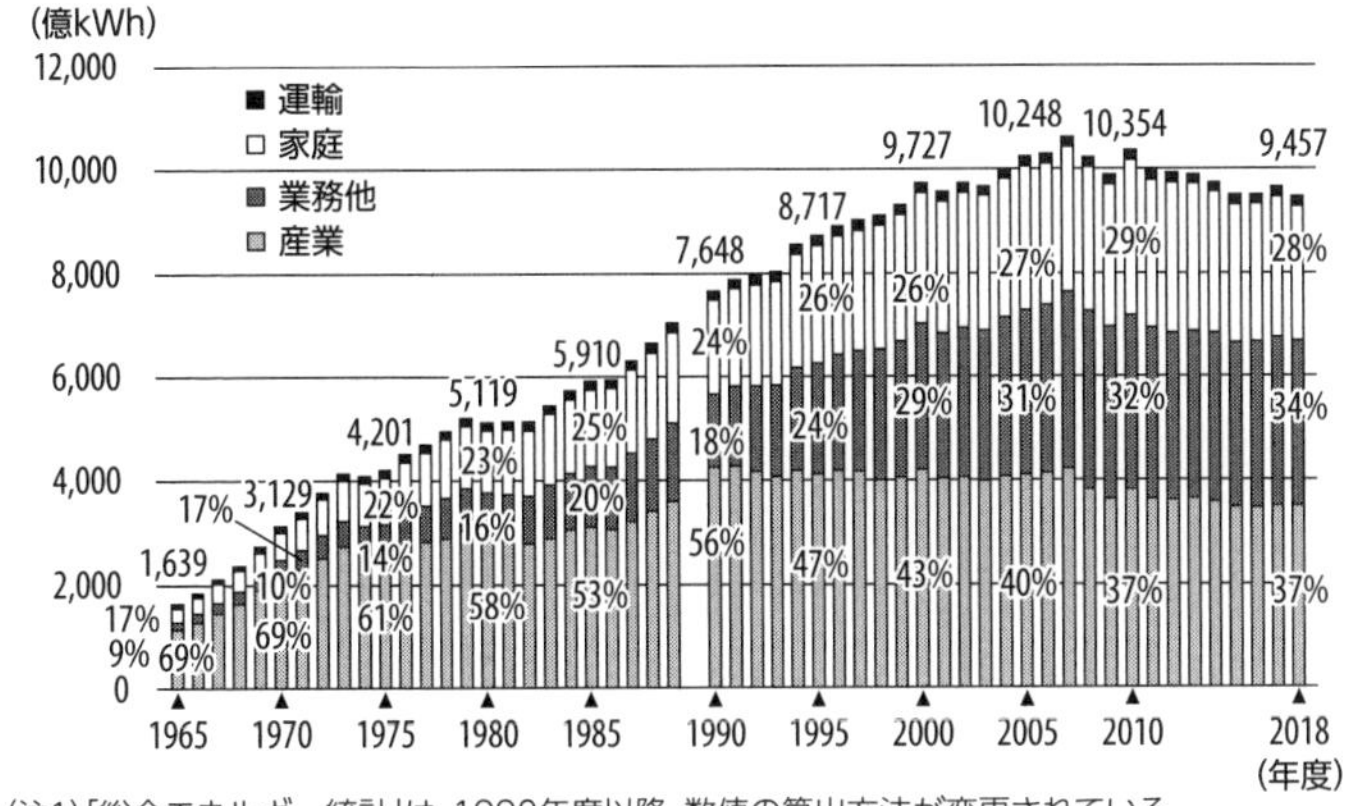

(注1)「総合エネルギー統計」は、1990年度以降、数値の算出方法が変更されている。
(注2)民生は家庭部門及び業務他部門(第三次産業)。産業は農林水産鉱建設業及び製造業。

出典：『エネルギー白書 2020』(経済産業省 資源エネルギー庁)

プレイヤーに提示できるかどうかが重要である。

具体的には、この節の後半でも詳細の解説を加えていくが、次のような方向性があると想定している。

①　複数サービスの統合化
②　プラットフォーム事業への移行
③　バーチャルなグルーピング
④　新たなサービス事業への変革

複数サービスの統合化は、ガスやネットワークはもちろん、水やIoTその他サブスクリプションサービスを電気と併せて差別化されたモデルで統合化することである。

図36　2019年度国内における電力需要

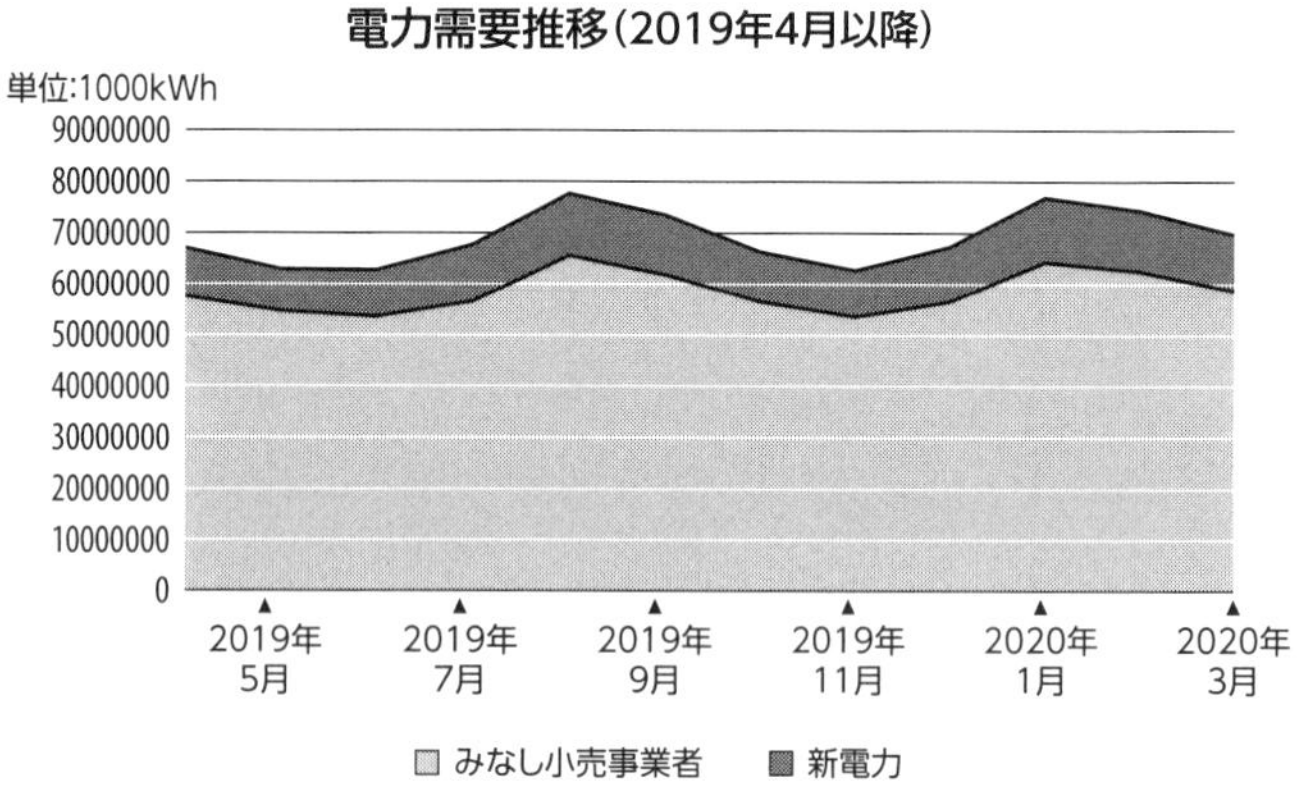

● 電力需要実績（経済産業省統計）

単位:1000kWh

年 月	2019年4月	2019年5月	2019年6月	2019年7月	2019年8月	2019年9月
みなし小売事業者	57,943,139	55,005,932	53,825,539	57,382,619	65,894,362	62,192,348
新電力	9,487,713	9,126,292	9,371,071	10,556,284	12,548,727	11,722,686

	2019年10月	2019年11月	2019年12月	2020年1月	2020年2月	2020年3月
	56,509,007	53,812,805	57,378,162	64,924,636	62,695,206	59,071,542
	10,115,974	9,720,965	11,022,993	12,403,985	12,036,613	11,300,975

年 月	2019年4月	2019年5月	2019年6月	2019年7月	2019年8月	2019年9月
需要合計	67,430,852	64,132,225	63,196,610	67,938,903	78,443,089	73,915,034

	2019年10月	2019年11月	2019年12月	2020年1月	2020年2月	2020年3月
	66,624,981	63,533,770	68,401,155	77,328,621	74,731,819	70,372,517

2019年度合計	836,049,575
特定供給	6,227,540
自家消費	34,867,881
総合計	877,144,996

出典：「需要統計」（経済産業省）より作成

図37　需要動向から見る事業戦略

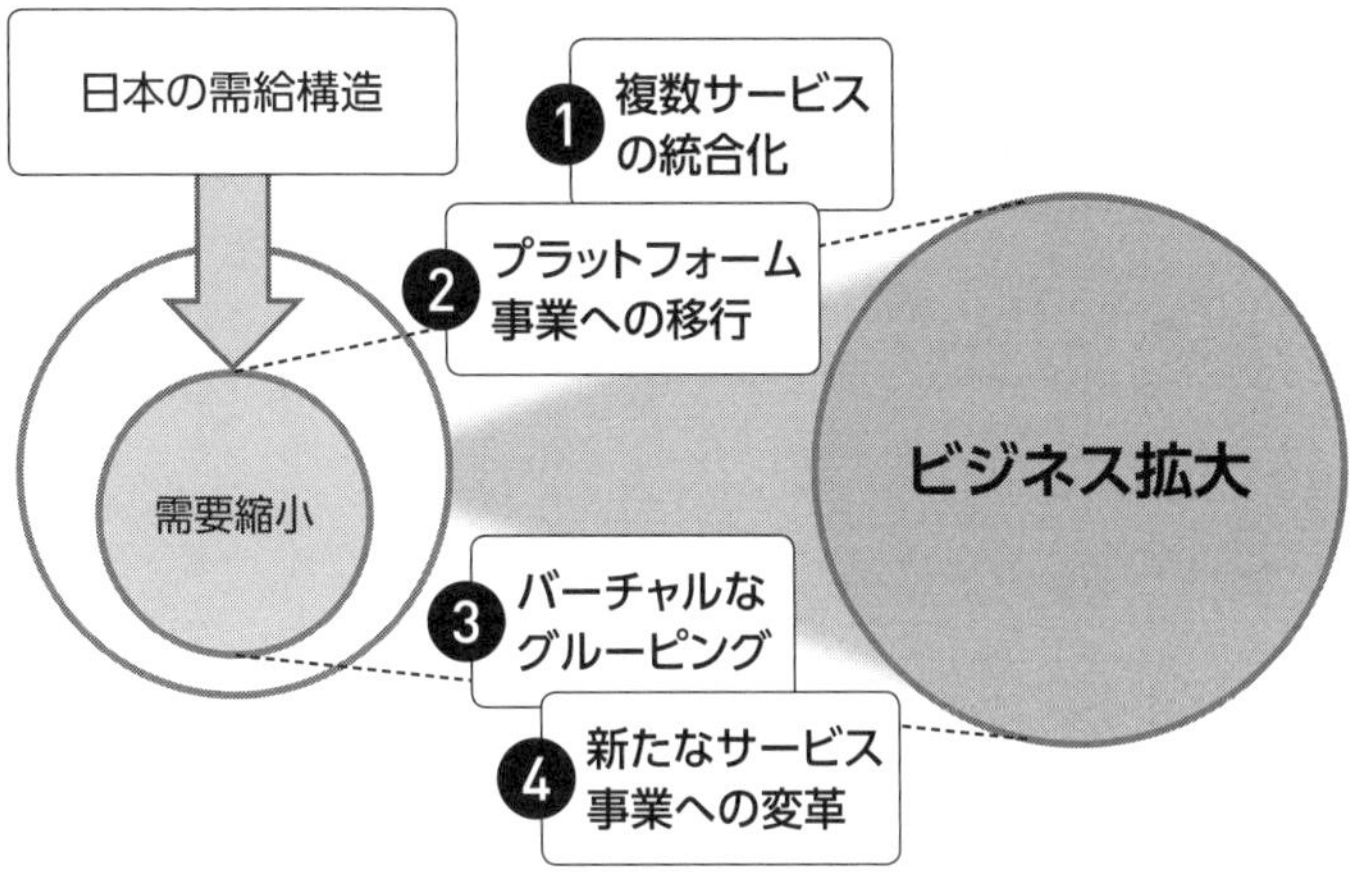

現在でもすでにあるモデルではあるが、より差別化できるサービス、例えば、地域電力であれば、その地域の地元密着型サービス等を組み合わせて、再スイッチングが起こらないよう高いロイヤリティを需要家に提供するモデルを目指す。

プラットフォーム事業への移行は、従来のＩＴではなく、変革を起こすようなエネルギーサービス提供の仕組みを業界他社でも利用できるものとして提供するビジネスであり、エネルギー以外のレベニューを確保するモデルとなる。

また、このプラットフォームをベースにした、後述の事業者のグルーピングにより事業の堅牢性を向上させることができる。

ＶＰＰやＤＲのサービスを基幹システムと

連携させたようなモデルであるとか、ＡＩによるレコメンドの仕組みを取り入れた顧客管理等は、他社と差別化できるサービスを提供する仕組みとなる。

例えば、本プラットフォームサービスを、中堅以下の企業に手早く提供し、ＢＧまたはグループサービスを併せて利用してもらうことにより、レベニューの底上げができるモデルである。

本サービスは、必然的にサービスインした時点で競合相手にはオープン情報となるが、一度構築した仕組みに甘んじることなく、変化しつづけるサービスモデルが実現できる基盤であれば、先行利益を得ることは十分に可能である。

バーチャルなグルーピングは、エネルギーサービスを支える仕組みを共同購買・共同運用するようなイメージで、コスト削減とグループによる事業の相乗効果を狙うモデルである。

容量市場のコスト増や需給調整市場におけるインバランスコスト問題、エネルギー高度化の再生可能エネルギー比率向上等と電源の融通や業務運用の共同化により、グループ内でコストを平準化するモデルである。

現状のＢＧとは異なり、緩やかで柔軟な連携によってコストダウンを図るものであり、中堅新電力における新たなグルーピングによる事業支援サービスや、地域電力による広域連携、ベンチャー新電力によるＩＴ連携等さまざまな形態が考えられる。

新たなサービス事業への展開は、ＭａａＳやマイクログリッドといったエネルギー事業と相乗効果のある、カテゴリーの異なるサービスを組み合わせて展開し、事業を継続するモデルとなる。

本モデルは、特に地域電力と親和性の高いモデルと考えられ、再生可能エネルギーを増やし、蓄電池やＥＶの有効利用を含む地産地消をより発展させる。災害対策における電力レジリエンス向上や、地域密着のサービスでの移動手段の確保、買い物難民支援等の実現を図るものである。

ここでは、今後の日本の需給構造を見越した上で、事業展開としてどのような方向性があるかを解説したが、次の節からはＭａａＳやマイクログリッドといった今後のサービスモデルについて少し深掘りすることにする。

「ＭａａＳ×エネルギー」のシンクロビジネスモデル

ＭａａＳ（Mobility as a Service）は、鉄道やバス、タクシー等の交通機関に加え、カーシェア等の全ての移動手段を統合したサービスであり、スマホアプリを介した一括予約・

決済が可能になるサービスである。交通・移動に関わるコストを割安にしたり、または定額サービスを提供できたりすることで、利用者には大きな利便性がある。

また、買い物代行やデリバリー、相乗り等の複合サービスが実現でき、移動を含めたパーソナライズが可能になるサービスとなる。また、地方における移動手段の問題等、今後の社会的インフラのソリューションとなる。

矢野経済研究所が発表しているデータによると、MaaSの市場は今後、急速な成長を見せ、2030年には国内市場規模が6兆3600億円にまで達すると予測されている。また、今後、新たなサービスが続々と立ち上がると想定されている。

MaaSは、都市型と地方型に大きく分かれるが、地方型では、地方での近接地における広域連携MaaSの実現、新たな乗換拠点やさまざまな輸送手段等、生活サービスと併せてサブスクリプションサービス等の仕組みの構築が期待される。

また、オンデマンドの交通手段やカーシェア、道の駅等を基点とした自動運転サービス等も考えられる。

MaaSの分野でも欧米をはじめ海外でのサービスが先行しており、例えば、MaaS先進国フィンランドでは、whimというサービスが、ヘルシンキでの実証実験を経たのちに正式運用が始まっている。

図38　MaaSの概要

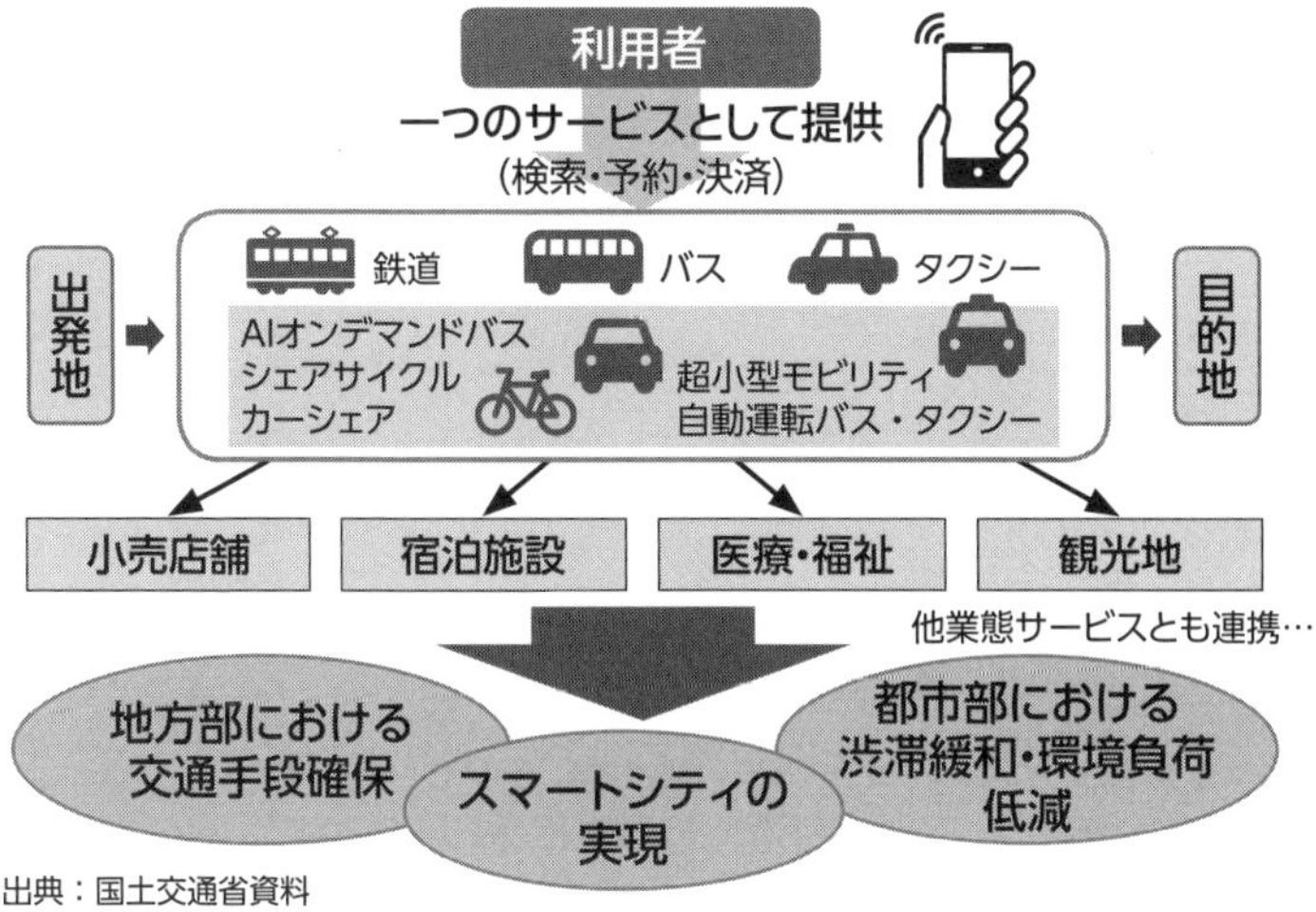

出典：国土交通省資料

公共交通の電車とバス、タクシー、シティバイク（自転車のシェアリングサービス）、レンタカー等、複数のモビリティサービスの予約と決済を一括で行えるスマホアプリで、サービスを提供している。

日本においても、エリアを特定したMaaS実現に向けた実証実験は開始されており、地方における道の駅を拠点とした自動運転等のサービスを実施している。

2020年度において、38事業が地域特性に応じたMaaSの実証実験への支援を受けることになっており、6地域でAIオンデマンド交通の導入、9地域でキャッシュレス決済の導入の実証等が開始されている。

実証内容の例としては、高齢者にタブレ

ットの配布を行い、平時におけるサービスの提供・発注を可能とするインフラを整える。主に、生活支援関連であり、タクシー呼び出し、ショッピングモール・医療機関等への乗り合い、薬・生活必需品などの買い物タクシー転用サービス等を提供する予定である。

また、環境省は、「脱炭素イノベーションによる地域循環共生圏構築事業」を推進しており、第5次環境基本計画におけるコンセプトに基づいた、自立・分散型地域エネルギーシステム構築事業、配電網の地中化による再生可能エネルギーの推進と防災能力の向上支援事業、脱炭素型地域交通モデル構築事業の実証を支援する。

脱炭素型地域交通モデル構築事業においては、2019年から、ベンチャー企業である株式会社REXEVと、新電力会社である湘南電力株式会社、神奈川県小田原市の三者で、EVのシェアリングによる地域交通モデル構築への取り組みが開始されている。

地元の再生可能エネルギーを活用したEVを用いてカーシェアリングを実施し、EVバッテリーの充放電遠隔制御技術により、再生可能エネルギーの効率的な活用や付加価値サービス提供を目指している。

また、EVのバッテリーは、災害などの停電発生時には非常用電源としても活用することを想定しており、電力レジリエンスの向上を目指している。

EVを蓄電池としても利用拡大することで費用対効果を高め、EV普及も促進させてい

図39　EV／PHVの普及の現状と目標

（参考）新車乗用車販売台数：439.1 万台（2018 年）

	2018 年（実績）	2030 年
従来車	62.2%（273.3 万台）	30 〜 50%
次世代自動車	**37.8%**（165.8 万台）	**50 〜 70%**
ハイブリッド自動車	32.6%（143.2 万台）	30 〜 40% ※
電気自動車	0.6%（2.7 万台）	20 〜 30% ※
プラグイン・ハイブリッド自動車	0.5%（2.3 万台）	
燃料電池自動車	0.01%（612 台）	〜3% ※
クリーンディーゼル自動車	4.0%（17.7 万台）	5〜 10% ※

出所：未来投資戦略2018「2018年6月未来投資会議」
※次世代自動車戦略2010「2010年4月次世代自動車研究会」における普及目標

<二引き込み線の特例措置>

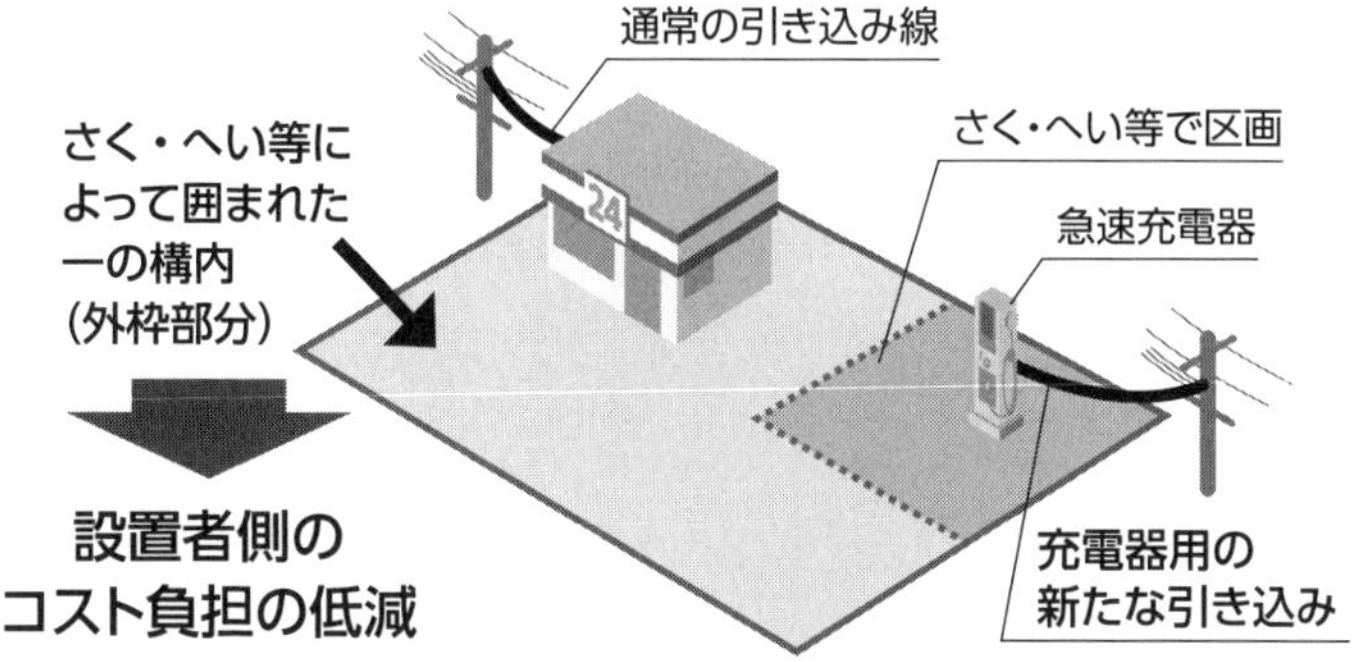

出典：第 4 回 総合資源エネルギー調査会 電力・ガス事業分科会 脱炭素化社会に向けた
電力レジリエンス小委員会　資料

くことができるモデルである。

ＭａａＳ及びその周辺ビジネスを、ＥＶ等の活用と組み合わせて、統合サービス事業に進化させれば、エネルギー事業者としても差別化できるビジネスモデルを組み立てることが可能となってきており、有望なビジネスモデルになり得る。

また、交通の利便性向上や移動手段のパーソナライズ等は、サブスクリプションモデルを含めて、都市型・地方型にかかわらず普及していくと想定されるので、大きな事業チャンスが与えられていることになる。

エネルギー事業者としては、特に、地域に根ざした事業者は、ＭａａＳ及びその周辺のサービスを事業に取り入れ、または連携し、地元密着型のサービスをより強化することにより事業基盤の維持・拡大をしていくことができるようになる。

今後この分野の変革についても、シンクロしたサービスを考案し、提供していくことにより、サービスモデルを確立していきたいところである。

「ＭａａＳ×エネルギー」のサービスの可能性を概観したが、次節では、今後大きなサービス変革が起こるであろうマイクログリッドのポテンシャルについて考える。

マイクログリッドのポテンシャル

2020年第201回通常国会で成立した「強靱かつ持続可能な電気供給体制の確立を図るための電気事業法等の一部を改正する法律」、エネルギー供給強靱化法は、2022年4月に施行される見込みで、詳細設計に入った。

改正の内容は、災害時における連携強化や送配電網の強靱化とともに、災害に強い分散型電力システムを目指すものであり、特定エリア内で分散小型の電源等を含む配電網を運営しつつ、緊急時にも独立したネットワークとして運営可能となるよう、配電事業を法律上で位置付ける等の措置を講じるものである。

また、太陽光やEV等の分散型電源をより有効に利用するビジネスを推進するために、電気の計量法の見直しも検討されており、需要家への説明を前提に、さまざまなサービスで行う計量について、適用除外となる方向性が示されている。

これにより、設備コスト面を含めビジネスの組み立てが容易になり、サービス提供が加速される可能性がある。

災害に強い分散型電力システムでは、地域における分散小型の電源等を含む配電網を運

図40 配電ライセンスの事業イメージ

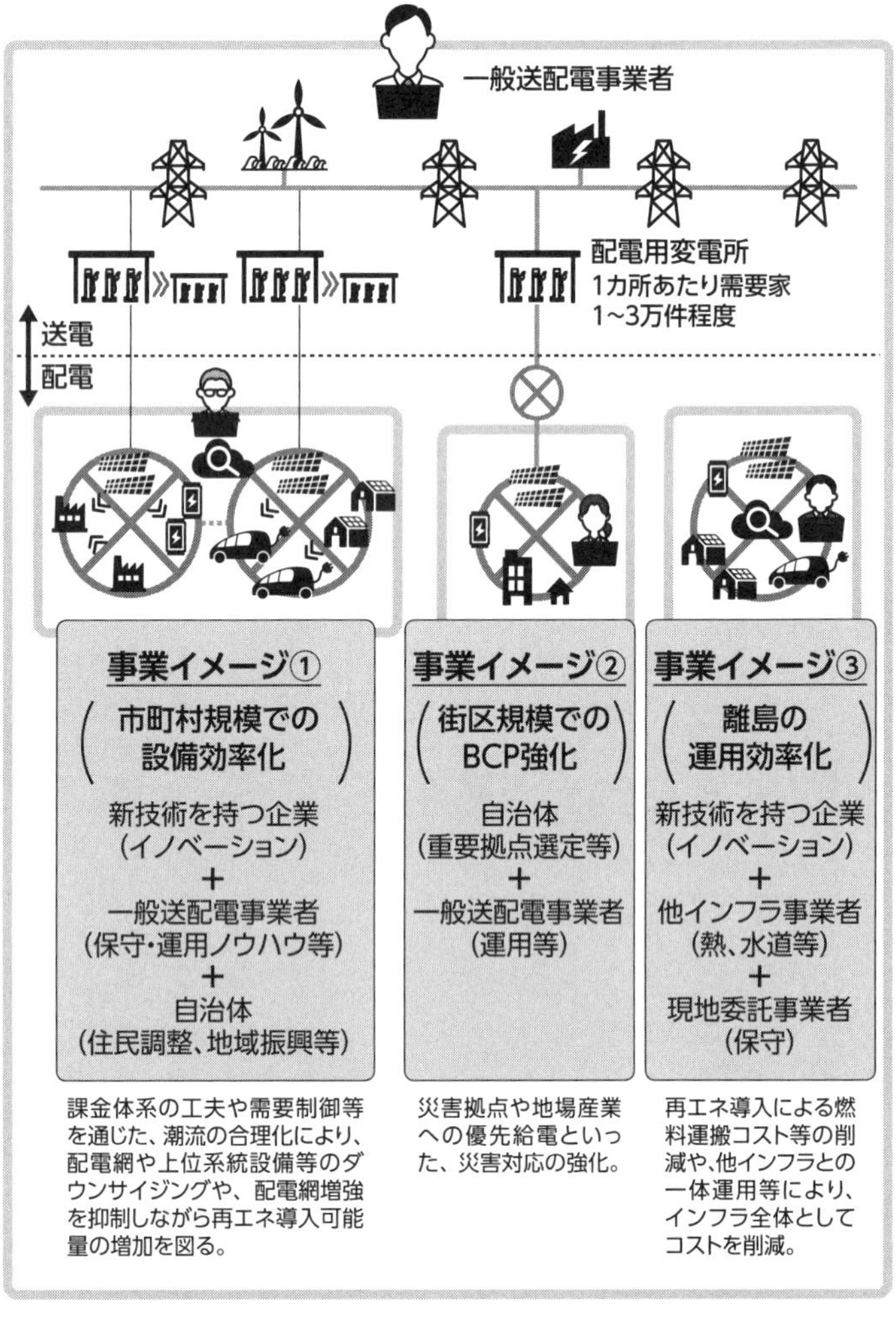

出典：持続可能な電力システム構築に向けた詳細設計 2020年7月20日 資源エネルギー庁

図41 電気計量制度の検討方向性

● 太陽光発電を柔軟に取引可能とする

・太陽光発電を設置している家庭において、パワーコンディショナーによる計量値を用いた取引を可能に。
・太陽光発電の電気を、自分が売りたい事業者に対して、様々な価格で販売できることが 期待される。

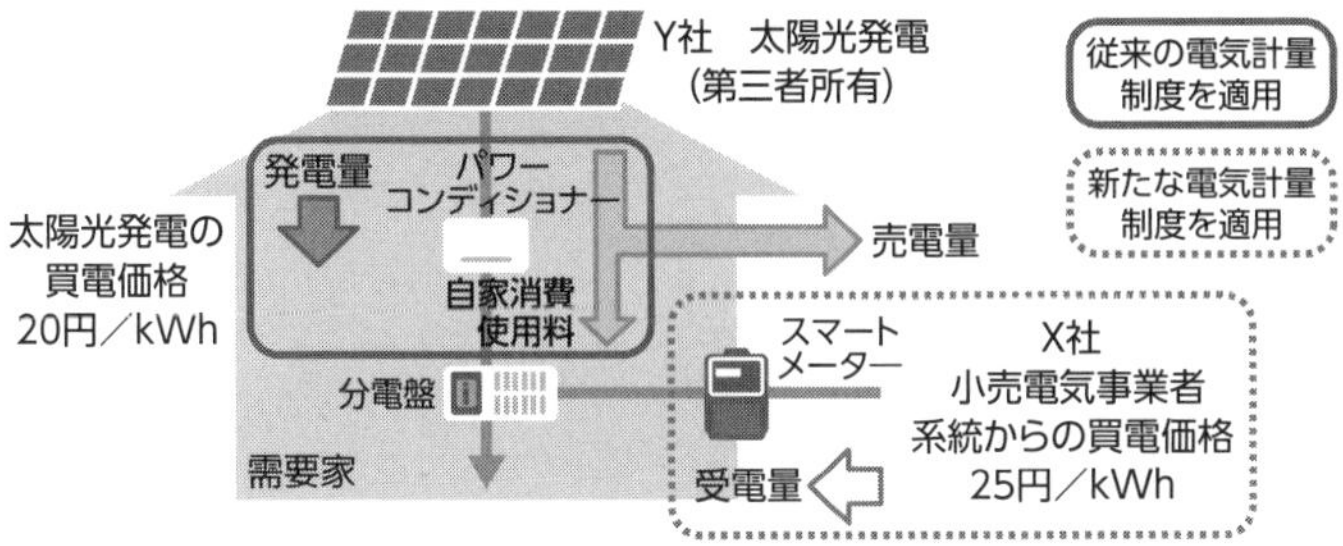

● EV を蓄電池として柔軟に取引可能とする

・EV 充電設備を設置している家庭において、その EV 充電設備による計量値を用いた取引を可能に。
・EV を蓄電池として、市場価格が高いときに電気を売り、安いときに電気を買うといったサービスの出現が期待される。

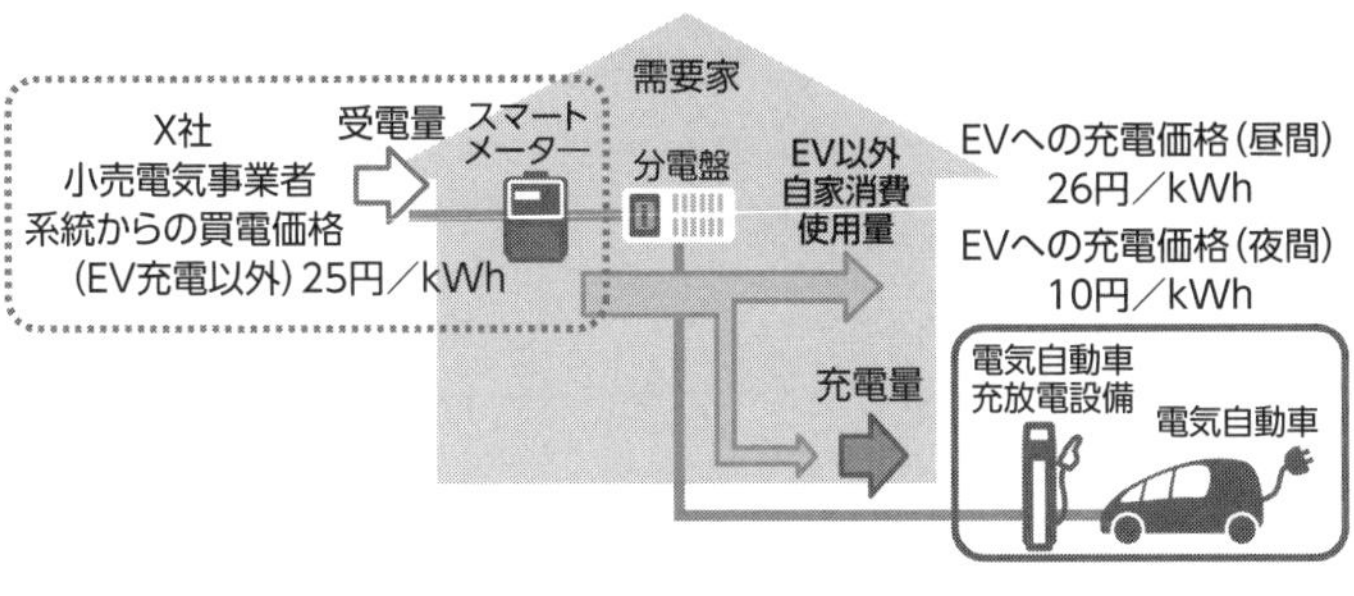

出典：持続可能な電力システム構築に向けた詳細設計 2020年7月20日 資源エネルギー庁

営し、かつ、緊急時に独立したネットワークとして運用ができるように配電事業を法律上、位置付ける。

また、山間部等において電力の安定供給・効率性が向上する場合、配電網の独立運用を可能にするものである。

マイクログリッドは、電力系統接続型と自立・独立運用型に分類されるが、エネルギー供給強靭化法では、両方の方式の実現を目指す内容になっている。国内におけるマイクログリッドは、特定送配電事業者に類型されるものがあるが、自営線を含む設備投資等が大きく、事業採算がとれるまで長期間が必要であり、参入障壁が高いものとなっている。

特定送配電事業者は、日本の電気事業法に定められた類型の一つで、登録特定送配電事業者は、自己の送電設備・配電設備を使って一般の需要に応じて電気を供給することが可能となる。

マイクログリッドの実証は、国内においても進められており、単なるエネルギー事業にとどまらず、地域における電源の活用や電力レジリエンス強化等、地域の課題解決に資する計画の策定を目指して実施されている。

経済産業省は、2021年度の予算で、地域でのマイクログリッド構築支援として前年度比2倍以上の予算を計上しており、再生可能エネルギー活用によるエネルギー供給の強靭化を目指している。一般送配電事業者の系統活用の前提で、工事費の抑制・小規模化を狙っており、災害時の自立電源運用でマイクログリッド構築をする上で必要となる制御系システム等の導入費用の一部を補助していく方針が出されている。

配電ライセンス事業者は、特定のエリアにおいて独占的にネットワークを運用する主体となるので、参入規制を許可制とする等、一般送配電事業者と同様の規律を課すことがベースになっている。

配電事業参入時の審査は、国が適格性を確認することはもちろんであるが、需要家負担を含む社会コストの増大を防止する観点から、収益性が高い配電エリアが先行するがゆえに他のエリアの収支が悪化する、いわゆる「クリームスキミング」が生じないよう今後、詳細設計がなされていく。

加えて、配電事業エリアの託送料金や費用負担については、一般送配電事業エリアの料金水準と比較して合理的な水準となることは重要である。配電事業参入によるコスト削減効果等を託送料金制度における効率化分として評価する等、一般送配電事業者へのインセンティブ等も検討されている。

実際の事業サービスとしては、市町村規模、街の限定エリア規模、山間部・離島のエリア限定等での展開がイメージされているが、地域電力の位置付けは重要になってくる。

市町村規模、街の限定エリア規模での比較的大きなグリッドでは、従来通り一般送配電事業者との協業によるモデルになる可能性が高いが、山間部・離島のエリアでは、地域電力が他のインフラと一緒に運営を行い全体のコストを最適化するようなモデルが考えられる。

また、街限定のモデルでも特定地点を中心として、災害対策用にグリッドを構成することは今後増えていくのではないだろうか。

今後の制度設計の方向には左右されるが、電気以外のインフラ事業者、例えば回線事業者や水道事業者、MaaS事業者が、配電ライセンスをベースとしたエネルギー供給サービスを展開することも可能性としてあり、さらに、自治体をベースとした地域電力については、本ビジネスに参入する大義があり、限定した地点での事業モデル等を含め新たなサービスを展開していくことが予想される。

地域電力における地域密着のサービス提供は、再生可能エネルギーや今後コスト低減を期待している蓄電池やEV等の活用を含め、マイクログリッドのサービスに関わっていくことで、今後の国内における地方創生を推進することになるであろう。

新規参入者が、事業推進を容易にできるような制度設計になることを願っており、特に、今後、地域電力が活躍できる場が拡大すればよいと考える。

業界再編のディレクション

ここでは、エネルギー事業者の規模・カテゴリー別に、今後どのような再編があるかを予想してみたい。

容量市場によるコスト負担や需給調整市場開始によるインバランスコスト増、あるいは、エネルギー供給構造高度化法の拡大における再生可能エネルギー価値の負担等小売電気事業者を取り巻く環境は厳しくなっており、今後益々のコスト削減とサービス戦略の見直しが求められる。

まずは、大手の事業者から見ていくことにするが、大手事業者は、旧一般電気事業者と大手都市ガス会社のカテゴリーと、大手新電力を対象に予想する。

◎旧一般電気事業者

現状、エリアで分かれている旧一般電気事業者の小売部門とその子会社（主に他エリア進出対応）であるが、一部エリアでの広域統合の可能性があると考える。

今後も一定量のシェア減はあることを考慮すると、そのリカバリーを他エリアで行うモ

図42　業界再編成のディレクション

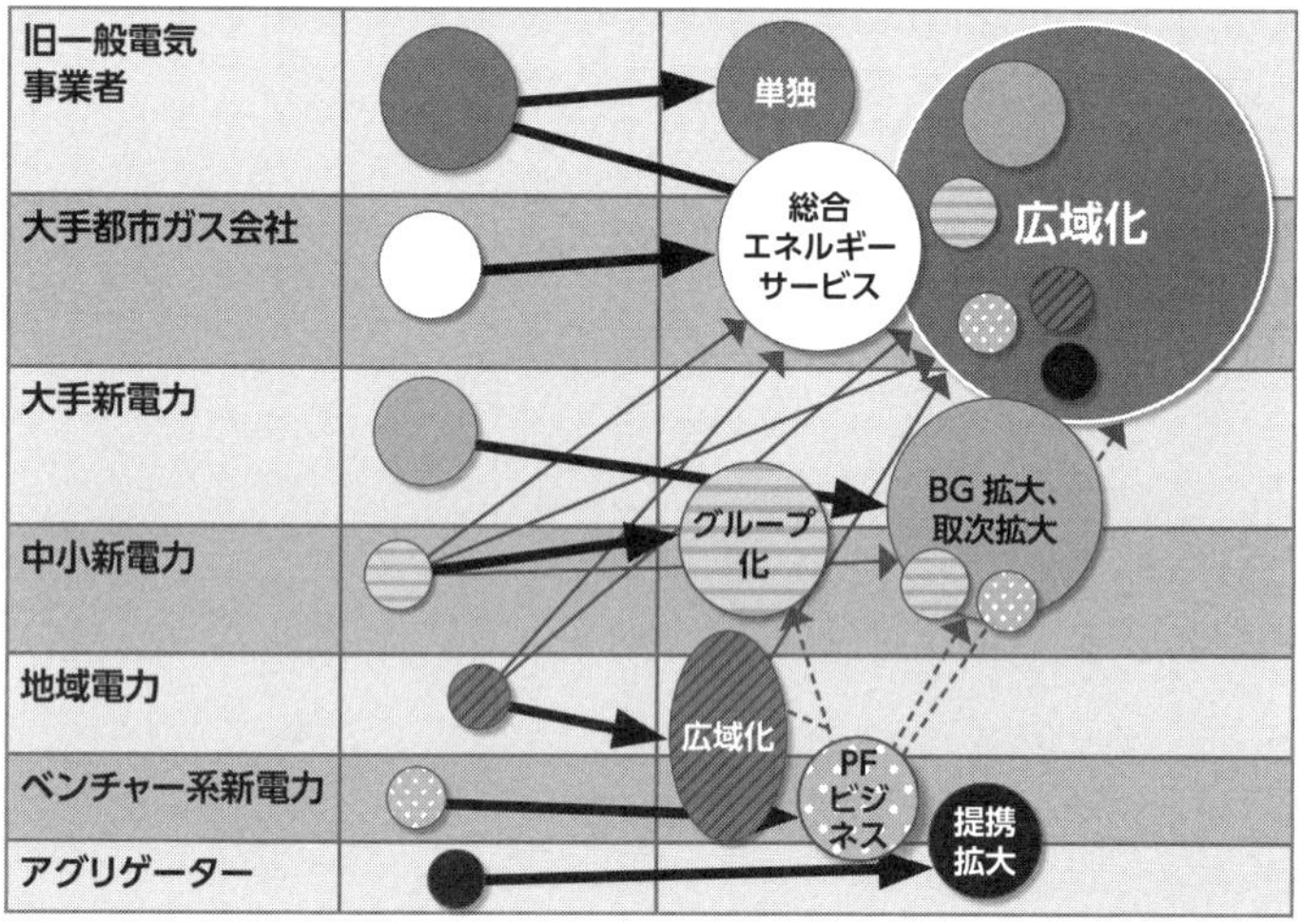

デルは継続されると考えるが、一足飛びに広域統合して規模を確保し、競争力を保持する戦略が考えられる。さらに、M&Aを加速して、有望な新電力を傘下に入れていく動きがあると想定する。

◎大手都市ガス会社

都市ガス会社は電力会社との競争が今後も激化する中、ガスのエリアにおけるシェアが減少する状況は必然である。ガスをメインにした場合、サービス展開のエリアが限定されることもあり、さまざまな生活サービスや再生可能エネルギーを含むスマートハウスやスマートシティへの取り組み、また、資源開発・石油元売り事業者との提携によるエネルギー供給の総合サービスを目指していくことになると想定する。

一部の大手事業者は、他エリアへ進出する旧一般電気事業者や大手新電力と協業、あるいは単独で事業拡大を図っており、今後もその分野をより推進していくことになるであろう。

例えば、2020年8月時点で東京ガスは、250万件以上の需要家を獲得し、2年後には380万件の獲得を目指している。1年以内に沖縄エリア以外の全国で、低圧電力の供給を予定している。

◎大手新電力

大手新電力は、足元で特別高圧・高圧のシェアが低下していく、または小口化している状況の下、法人低圧、個人の需要の取り込み強化に舵《かじ》を切る必要性があり、今後もその傾向は変わらないと考える。

その中で、BGサービスの強化、取次店・代理店政策の見直しを行い、新サービスを打ち出しながら、自社を含めたグループとしての供給サービスを強化して、シェア拡大・確保を図っていくことになる。また、当然、新たなサービス展開としてのアグリゲーター事業等やM&Aによる事業者取り込み等も推進していくことになると想定できる。

ネットワーク・通信系の事業者においては、例えばマイクログリッド等への本格参入等も考えられる。さらに、現時点では事業展開として本格参入しているとは言い難いが、今後は電化とソフトウェア産業化の進む自動車産業からの参入等もあるのではないだろうか。

次に、ベンチャーを含む中小事業者やアグリゲーター等の新サービス事業者はどのような方向性で進むであろうか。

◎中堅以下の新電力

エネルギーサービスではない主力事業を展開している参入組と、地元企業または自治体が参画している地域電力、またITの仕組みで特徴を出している、あるいは特定業種にターゲットを絞っているベンチャー系新電力は今後どうなるであろうか。

全般的に想定できることは、グルーピングの考え方で、共同購買・共同業務運用等によりコストを低減して大手に対抗するような仕組みを作っていく、あるいは、エネルギー供給とは別に特定業種に完全にターゲットを絞った新サービスを仕立て差別化する等の方向性が考えられる。

また、自治体をベースにした地域電力は、電力レジリエンスや地元密着のサービス、かつ、再生可能エネルギーを組み入れたVPP等のサービスにより、地産地消のモデルをより進化させて、他事業者の参入を許さないエリアモデルを確立していくであろう。

このモデルでは、差別化しながら広域連携を実施していく方向性もあり、広域化した場合は事業継続の基盤としてはより強固になっていく。また、水道事業等の広域化とのシンクロ事業展開もあり得る。

ITサービスを組み込んだエネルギー事業では、AI/IoT等テクノロジーはもちろん、最先端のWEBサービスを展開し、そのプラットフォーム化により、その機能を他のエネルギー事業者にサブスクリプションサービスで提供する、または、同様のモデルをフランチャイズ化して全国展開する等の展開があり得るのではないか。

◎アグリゲーター等、新サービス事業者

特定電力卸事業者としてのアグリゲーターは、小売電気事業者の一部が複合サービスとして展開する、新規参入者がそのビジネスに特化して参入する、あるいは、外資系トレーディング事業者が電力卸取引の事業メインで参入する等が考えられ、VPP/DRサービ

ス等を加えるケースを含め、独自の仕組みを武器に展開していくであろうと想定している。

ここでは、規模別に今後の方向性を見てきたが、最後に、エネルギーサービス事業者が生き残るためにヒントとなる方程式を解説していく。

現在事業展開をしている、あるいは、事業の方向性を再度検討するべき時期にきている事業者、また、新規参入者において、共通する生き残りの方策を考えてみる。

生き残るためのトランスフォーメーション方程式

スイスのビジネススクール国際経営開発研究所（ＩＭＤ）が発表した、２０２０年の「世界デジタル競争力ランキング」で、日本は27位という結果となった。世界主要国でもランクは低いほうに位置付けられるのではないだろうか。

調査は、63の国・地域を対象に実施。デジタル分野に関する「知見」「技術」「未来への備え」の3項目について、評価してまとめたものである。

日本では、菅《すが》政権が、２０２０年9月に誕生し、「デジタル庁」創設に向けた準備が開始されているが、霞が関主導のデジタルトランスフォーメーションが果たしてうまくいくであろうか。

日本におけるコンピュータ利用の歴史においても、霞が関が主導した国産ベンダー育成・擁護策が、結末として国内のＩＴサービス等全般の競争力を劣化させてしまったことは否めず、ＧＡＦＡ[※5-1]のような存在が登場する気配もない。

今後の規制・業界の構造改革に期待をしたいところであるが、ＩＴ分野における創生に関して、つまりソフトウェア中心の変革において、日本の企業は周回遅れになっていると感じる。エネルギー業界におけるデジタル変革も、自由化の進展や制度対応が影響している面はあるが、欧米と対比すると大きく遅れをとっている。

今後のエネルギー事業において生き残るためにさまざまな戦略を実践していく上で、賢くスピード感を持ってＩＴのパワーを活用していくことは今後益々重要なファクターとなっていく。

エネルギー事業者は、自らの知恵・知見をフル活用し、また、外部のリソースを上手に

※5－1　ＧＡＦＡ
Google（グーグル）、Apple（アップル）、Facebook（フェイスブック）、Amazon（アマゾン）の頭文字を取ったものである。各社は膨大なパーソナルデータを保有し、巨大なプラットフォームサービスを展開する世界的な企業である。

活用・連携して先手を取って新たなサービスを打ち出し、速やかにサービス提供を実行していく必要があり、業界の動向や業界におけるデジタル変革の状況も常にキャッチアップして、戦略を立案し遂行していくことになる。

サバイバルの方程式の一つ目は、サービスの組み合わせとなる。ただし、組み合わされる中身は掛け算であり、相乗効果が出る形態のサービスである。

組み合わされるサービスの構成＝「差別化サービス×エネルギー」→（差別化サービス＋差別化サービス……）×エネルギー　となる。

二つ目は、組み合わせたサービスの複製となり、差別化したサービスをプラットフォーム化し、プラットフォーム構築のコストを上回るだけのエネルギーサービス＋α《アルファ》を獲得することである。

（サービス）×（x乗）∧エネルギーサービス＋α

三つ目は、事業の疎結合であり、仮想集合（事業者、事業者……）で、事業の付随業務や電源調達を共同化することによるコストダウンである。

最後に、サービスの変換であり、新たな戦略的サービス＝変革サービス×「差別化サービス×エネルギー」により、他社が追随できない画期的なサービスに変換することである。

まとめると、激変するエネルギー業界で生き残るための方程式は、次のようなものになると想定している。

①（差別化サービス＋差別化サービス……）×エネルギー＝複数サービスの統合化
②（サービス）×（x乗）∧エネルギーサービス＋α＝プラットフォーム事業への移行
③ 仮想集合（事業者、事業者……）＝バーチャルなグルーピング
④ 変革サービス×「差別化サービス×エネルギー」＝新たなサービス事業への変革

上記の方程式が、サービス多様化、BG変革、地域分散、ITプラットフォームサービス、MaaSの進展、マイクログリットの出現等と結びつき、事業者によりさまざまなトランスフォームを実現し、具体的な形になっていく。

ダイナミックプライシングやレコメンドサービス等のエネルギー関連のサービスとサブスクリプションサービス等、その他サービスとの統合、ITサービスやビジネスモデルのプラットフォーム展開、大手、中小の事業者を問わないバーチャルな事業共同化とコスト削減、MaaSやマイクログリッド構築によるサービス事業の変革等を実践に移していく

図43　トランスフォーメーションの方程式

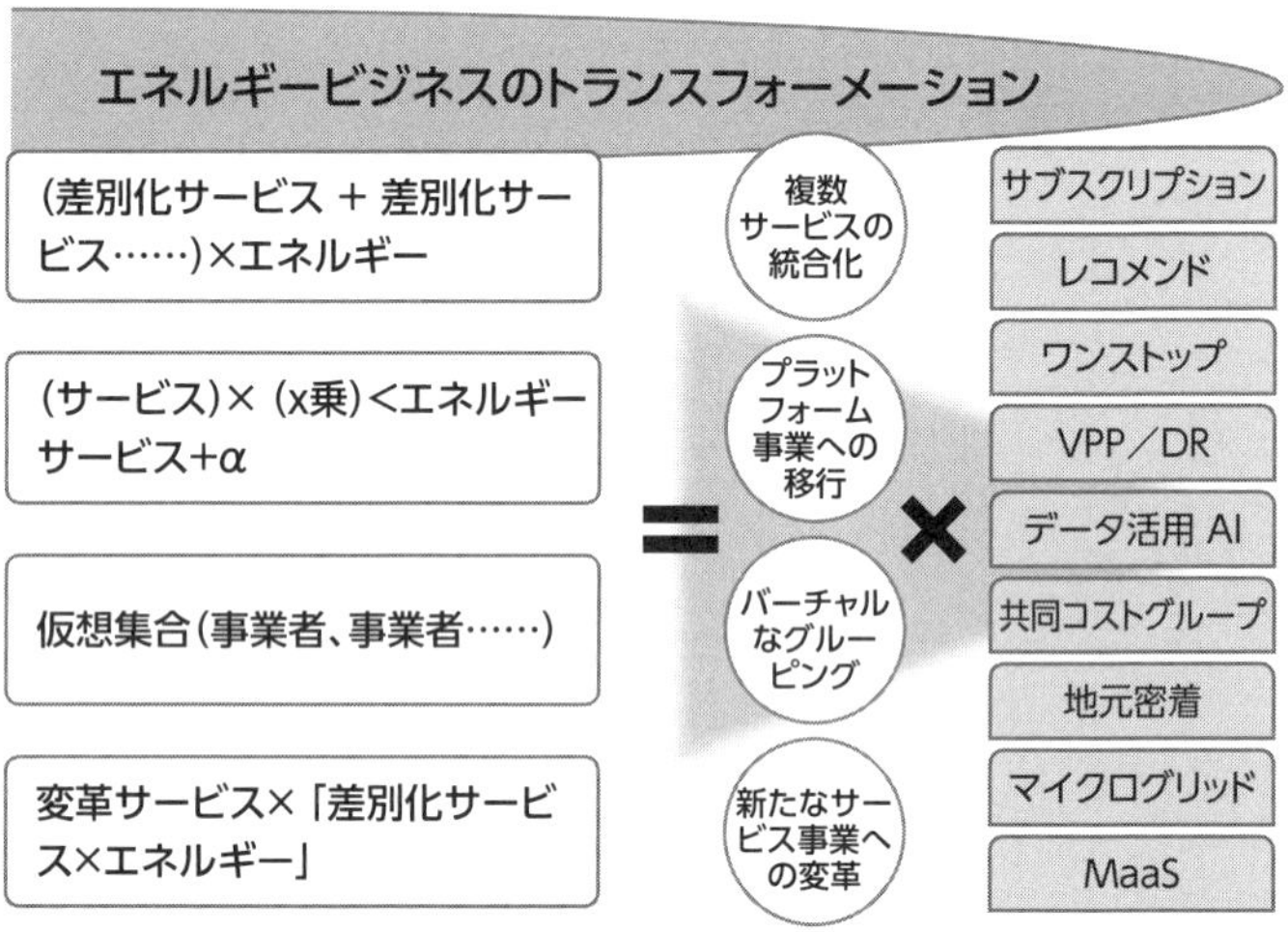

中で、サービスの差別化を図り、特定の需要家、エリア、サービスカテゴリをターゲットとして生き残りをかけ、事業変革を行っていくことになるであろう。

さらに、５Ｇ時代の到来で、膨大なデータ蓄積と活用を、ＡＩ／ＩｏＴのテクノロジーにより実現し、家電や自動車から発生するデータリソースをパーソナライズし、デジタルデータによる事業のトラスフォーメーションを実現できる。

また、エネルギー業界においてもＩＴによる**ディスラプター**[※5-2]は、業界に変革を起こし、大手事業者にない敏捷《びんしょう》性やリスクを恐れない戦術で戦い続けることができるであろう。

その戦略や戦術も日々進化し、変革を継

続することにより、差別化されたサービスは洗練されていくことになる。

業界の変化をいち早く察知し、データに基づき今何が必要かを適切に判断し、迅速に実行をしていくことが必要であり、「DX（デジタルトランスフォーメーション）」を、ITベンダー等の実態を伴わないサービス提案に振り回されることなく、確実に遂行していくことが重要である。そのためには、事業における人材とプロセスの改革が必要であり、すでにディスラプターとして位置付けられるクラウドサービスや外部の知見・サービスを最大限に活用し、いち早く仕組みを構築していくことが肝要である。

それが実行できれば、変化に順応したトランスフォーメーションを実現し、生き残りをかけた戦いを継続していくことができるプレイヤーとなれる。

ディスラプターは、需要家に対して、コスト面、利便性等のエクスペリエンスのバリューを提供し、かつ、利用する需要家が増加することによるネットワーク効果をもたらすプラットフォームとしてのバリューも提供する。

事業を変革し、3つのバリューを組み合わせて提供するディスラプションが実現できれ

※5－2　**ディスラプター**
デジタル技術を活用した新しいビジネスモデルを構築し、既存の市場を破壊する可能性を持っているベンチャー企業の総称。

ば、需要家に高い価値を提供でき、競争優位を確立できるのは間違いない。

再生可能エネルギー活用をベースとしたデジタルテクノロジーの活用は、業界を大きく動かしていくことは間違いなく、デジタル・ディスラプターの活躍のフィールドになる。

今後、託送制度改革や市場設計の変化、事業者間の統合やM&A、再生可能エネルギーの増加、VPPやEV等を含めた蓄電テクノロジーの進展、地域分散型のエネルギー供給の構造変化等が起こり、エネルギー事業者を取り巻く環境は激しい変化に見舞われることになるが、最も強いものでもなく、最も知的なものでもなく、変化に最もよく適応したものが生き残ることになる。

そのためには、ITによる変革は不可欠な要素であり、エネルギー自由化の第三ステージに立つために、エネルギーオペレーティングシステムへのトランスフォーメーションが必要になる。

業界の変革の波の中で、エネルギーサービス及びその周辺のサービス事業者は、さまざまな事業規模・エリア等において、誰よりも早く、確実に自社の戦略を変えていくことにより、必ず生き残る道筋が見えてくるであろう。

図44　エネルギーオペレーティングシステム概要図

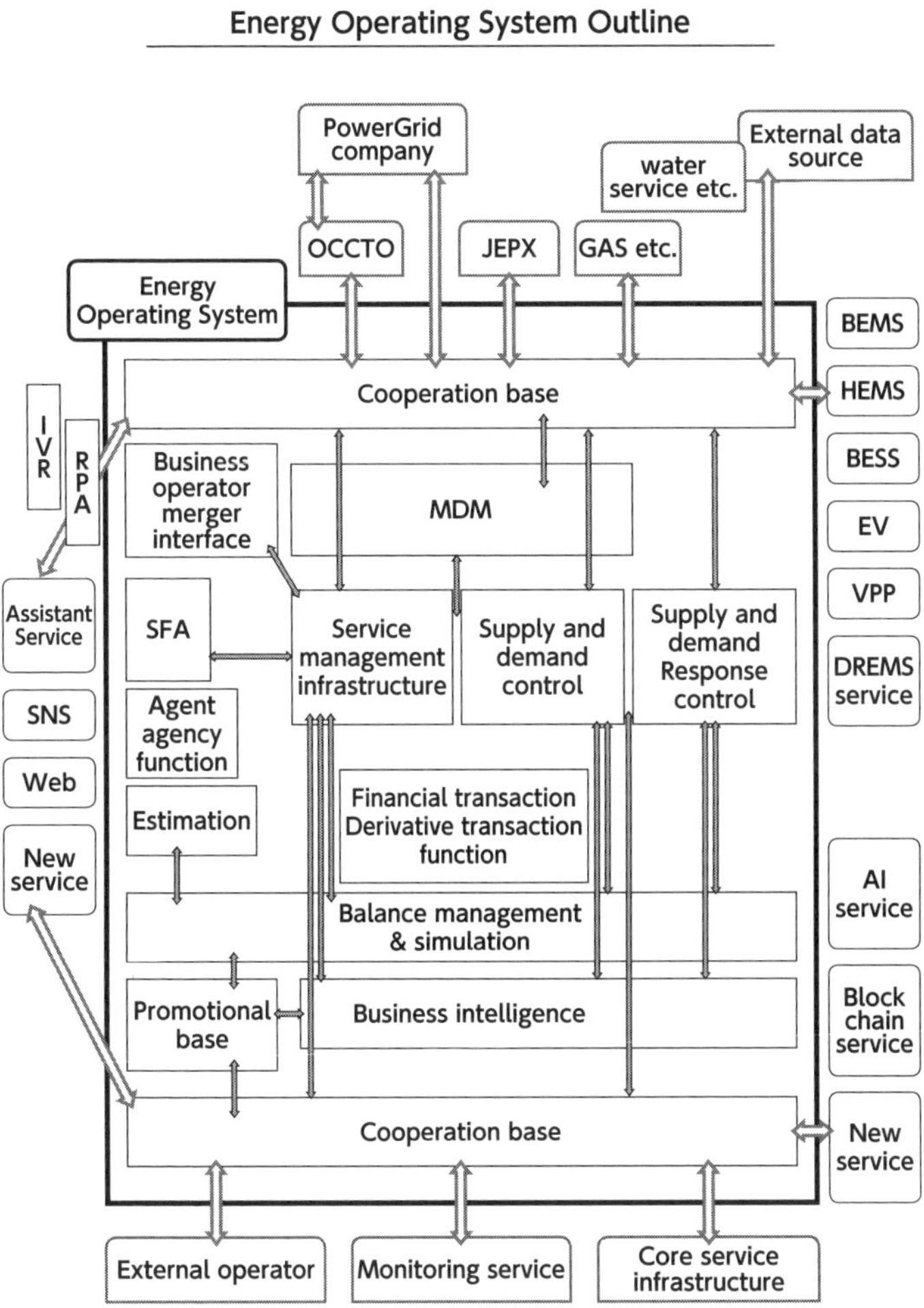

おわりに

電力自由化の第二ステージを迎え、事業者が変化することがいかに重要かを解説してきた。まさに小売電気事業者は、生き残るために、今一度戦略を立て直す時期にきている。その中心になるのが、真のサービスの差別化を含む戦略転換と、そのサービスを支える業務改善とシステム戦術の再構築である。

第二ステージにおける業務改善とシステム戦術の要になるのが、需要家向けサービスと需給マネジメントになると考える。

料金メニューを含めた需要家向けサービスは、電力という特異な商材のベースをどのようにサービス化し、さらにどのように他サービスと組み合わせていくかが重要になってお り、サービスの統合管理を含め改善していくことになる。

需給マネジメントは、統合サービスの根幹を支えるベースとして機能すると同時に、今後の需給調整市場等の電力市場や託送制度見直しにおいて、新たに構築されるであろう新サービスを支え、かつ事業収支を維持するための、コアな業務及びシステムとなると予想している。

まずは、第二ステージを勝ち残り、来る第三ステージへの準備として、取り組みを開始する時期にきている。この進化についていけるかどうかが、勝ち組となるための大きな分岐点になると考える。これを支えるのは、事業の敏捷性の確保と仕組みをサポートするシステムとなる。

また、ITの仕組みをフルに活用したディスラプターとして、コスト・エクスペリエンス、プラットフォームとしてのバリューを需要家に提供するプレイヤーに進化するための重要な時期にきているのである。

最終的には、第三ステージに向けて業界再編成やさまざまな制度・市場設計の変更を経て業界が動いていくことになるが、いずれにしても、事業のコアサービスを支える業務・システムも併せて進化していく必要がある。

前著『エネルギー自由化 勝者のIT戦略』でも解説したが、コアなシステムは、エネルギーOSとして進化していき、需給マネジメントや電力取引の最適化、さらに需給マネジメントから誘導される需要家サービスのレコメンドやDRサービス等、第三ステージを支えるシステムとして、ふさわしい基盤になっていくであろう。

新型コロナウイルスにより緊急事態宣言が発出された4月以降、テレワークを行っている最中に執筆しながら、今後の業界再編に向けて考えを巡らせていた。

経済的な打撃が大きいだけに、現時点では影響が少ないエネルギー業界でも、今後ボディブローのように影響が出始めるであろうと想定されるが、このような時期だからこそ、新たな戦略を立て、前進していく必要があると考える。

また、気候変動を起因とした自然災害への対策は喫緊の課題であり、地域電力をベースとする電力レジリエンスも日本という国においては重要なサービスになるため、早期に実現していく必要がある。

エネルギー自由化はまだまだこれから進展していくものと想定しており、そうあるべきと考えている。日本という国において、水素エネルギーを含めた再生可能エネルギーの供給を支える事業は非常に重要であり、今のままでよいということはあり得ない。

エネルギー供給の高度化が達成され、エネルギーサービスが進化することにより豊かな生活が継続できるようになってほしいと心から願っており、少しでも役立てるよう、力の続く限りこの業界での事業支援をしていきたいと思っている。

私の仕事を理解してくれている家族、尊敬する両親、エネルギー業界の仲間・パートナーの皆様、いつも情報交換しながらともにビジネスをしてくださる事業者の皆様、最後に根気よく原稿アップを待ってくださったＰＨＰエディターズ・グループの髙橋美香様に、心から感謝申し上げ、締めくくりとする。

２０２０年12月吉日

平松　昌

《著者紹介》
平松 昌（ひらまつ　まさる）
エネルギービジネスコンサルタント
1962年生まれ。関西学院大学卒業、経済学士。
外資系コンピュータベンダーやベンチャー事業支援、大手電力情報子会社を経て、エネルギービジネスコンサルタントとして活動中。30年間のＩＴ業界での経験を生かし、ＩＴコスト削減ノウハウ、エネルギー自由化における事業・ＩＴ支援、エネルギービジネス全般でのビジネスモデル立案や事業・業務支援を展開中。手掛けてきた新規参入事業者向けの事業支援、業務・ＩＴ支援プロジェクトは70社以上。著書に『ＩＴを買うその前に』（東京図書出版)、『エネルギー自由化 勝者のＩＴ戦略』（ＰＨＰエディターズ・グループ）がある。
小売電気アドバイザー（登録番号 1805003)、ＩＴコーディネーター。
Blue Ocean Creative Partners 代表、株式会社日本エナジーサービス システム担当顧問・コンサルタント。
E-mail：info@blueocean-p.jp

装　幀　佐々木博則
装幀写真　ＮＡＳＡ
図　版　桜井勝志

エネルギー自由化第二ステージ
賢者のトランスフォーメーション戦略

2021年２月１日　第１版第１刷発行

著　者　　平松　昌

発　行　　株式会社ＰＨＰエディターズ・グループ
〒135-0061　東京都江東区豊洲5-6-52
☎03-6204-2931
http://www.peg.co.jp/

印　刷
製　本　　シナノ印刷株式会社

ISBN978-4-909417-59-6